*Le chemin
de la
perfection*

La chimie
de la
Réflexion

Sainte Thérèse d'Avila

Le chemin
de la
perfection

traduction
du R. P. Grégoire de
Saint-Joseph, o. c. d.
revue et corrigée

introduction de
**François de Sainte-Marie
o. c. d.**

© Éditions du Seuil, 1961

Éditions du Seuil

IMPRIMI POTEST, PARIS, 30 SEPTEMBRE 1961,
FR. ÉLISÉE DE LA NATIVITÉ, PROV. O.C.D.
IMPRIMATUR, PARIS, 10 OCTOBRE 1961,
J. HOTTOT, V.G.

ISBN 2-02-000492-5

© Éditions du Seuil, 1961

La loi du 11 mars 1957 interdit les copies ou reproductions destinées à une
utilisation collective. Toute représentation ou reproduction intégrale ou
partielle faite par quelque procédé que ce soit, sans le consentement de l'auteur
ou de ses ayants cause, est illicite et constitue une contrefaçon sanctionnée
par les articles 425 et suivants du Code pénal.

Introduction

SAINTE THÉRÈSE D'AVILA.

En Espagne, il suffit de dire en parlant d'elle :
la *Santa*. Thérèse d'Avila est la Sainte nationale, celle
que les Cortès des royaumes de Castille et de Léon
ont choisie en 1626 pour patronne.

Thérèse " la grande " comme l'on dit (pour la distinguer de son émule de Lisieux qui n'est pas du tout
petite), Thérèse " la grande " nous semble a priori
très éloignée de nous, d'un autre temps, d'un autre
univers, d'une autre étoffe.

Elle a vu le jour dans l'antique cité d'Avila qui est
comme le cœur de l'Espagne. " Avila des chevaliers "
retranchée derrière son enceinte médiévale de tours
crénelées; Avila dont la cathédrale elle-même a l'allure
d'une forteresse; dont les nombreux palais arborent
des blasons prestigieux. Une ville dure plantée sur un
haut plateau dépouillé que domine un ciel pur et nu,
cerné d'horizons lointains, vraie patrie de l'absolu,
terre de rocs et de saints.

Le siècle qui a donné rendez-vous à Thérèse est
le " grand siècle " ibérique, le XVIe. Les Espagnes s'y
ramassent en une collectivité vibrante, soucieuse de
réaliser de grandes choses, animée d'un haut idéal
religieux, sans perdre pour autant ce goût du réalisme,
cette allégresse baroque qui est l'autre pôle du caractère
espagnol.

Atmosphère d'autant plus exaltante qu'elle est traversée de souffles guerriers. Thérèse de Ahumada y Cepeda naît le 28 mars 1515, l'année même de la bataille de Marignan. Des guerres, des révoltes, des massacres, des complots jusque dans Avila. Elle a cinq ans lorsque Luther consomme sa séparation d'avec l'Église catholique en brûlant, sur la place de Wittemberg, la bulle du Pape qui l'excommunie. Au cours de son adolescence, ses sept frères partent pour l'outre-mer, dans le sillage de capitaines ivres de puissance et de gloire. Les aventuriers de ce temps, entraînés dans une prodigieuse ruée vers l'or, restent cependant chrétiens. Dans leurs comptes, ils mêlent les sommes fabuleuses d'écus récoltés " aux Indes " avec le nombre des âmes baptisées. Un problème missionnaire se pose à l'Europe qui, depuis les dernières croisades, a vécu assez repliée sur elle-même. L'Église catholique, mutilée par la Réforme, se prépare à se réformer et à se répandre à nouveau dans le monde.

Thérèse d'Avila est à la taille de ce cadre historique somptueux; en son ordre, elle est comparable aux grands génies de la Renaissance. Certaines lignes de son premier biographe, le jésuite Ribera, lui donnent toute sa stature :

" Elle avait un courage viril et fort qui dépassait son sexe. Elle avait une grandeur de cœur qui est la vertu appelée magnanimité, de sorte qu'elle ne doutait pas d'entreprendre des choses grandes et extraordinaires et d'en venir à bout; elle y prenait même grand goût et plaisir, les choses faciles et ordinaires ne lui procuraient pas le même contentement. "

Qu'on en juge ! A l'âge où les petites filles jouent à la poupée dans les jupes de leur mère, elle a tenté de s'enfuir de la maison paternelle pour trouver le martyre. Adolescente, elle a tous les talents, et, en plus, le don de plaire. Astucieuse aux échecs, hardie à cheval, elle brode à la perfection et surtout se taille un large royaume dans le domaine du rêve. Grande lectrice de romans, elle n'hésite pas à prendre la plume elle-même pour raconter l'histoire du *Chevalier d'Avila.* Tel était le titre d'un essai dont parents et amis louèrent la précoce valeur.

Au Carmel, Thérèse de Jésus ne pourra davantage vivre en médiocre : une fois dépassés les atermoiements et tâtonnements de ses premières années religieuses, la voilà ensuite occupée à réformer et à fonder des monastères. Elle parcourt les routes d'Espagne dans de lourds chariots, admirée, vénérée, critiquée ou persécutée, mais toujours grande et jamais dominée par son destin : " mourir, oui, être vaincue, jamais. "

Elle écrit au roi Philippe II, traite librement avec les grands de ce monde, comme si elle eût été l'un d'entre eux. Elle arrive même parfois à incliner vers ses volontés les seigneurs archevêques les plus autoritaires.

Parmi ses confesseurs, captivés par le charme surnaturel qui émane d'elle (on en a dénombré une trentaine), plusieurs furent des saints canonisés. Thérèse peut se permettre de taquiner son père Jean de la Croix, pour lequel elle a du reste une grande estime. (N'est-il pas un peu son fils puisqu'elle l'a formé à la nouvelle vie carmélitaine ?) Elle est l'amie de saint François de Borgia, l'ancien duc de Gandie devenu jésuite, de Louis de Grenade, le dominicain, du franciscain saint Pierre d'Alcantara, ce héros décharné de la pénitence.

" Fille de l'Église ", elle dilate son âme aux dimensions de la chrétienté, elle ressent en quelque sorte physiquement le déchirement de la Réforme, la détresse des âmes assises à l'ombre de la mort... Et elle

ne peut accomplir la tâche particulière qui lui est dé-
volue qu'en baignant son âme dans l'universel et l'in-
temporel, en découvrant un vaste univers intérieur
au moment où les hommes de son temps dressent la
carte du globe.

Sa mort fut grande comme sa vie. Le visage calme
et si lumineux " qu'on eût dit un soleil enflammé ",
Thérèse murmure : " Il est temps de nous voir, mon
Aimé, mon Seigneur ", et se hâte vers la rencontre.

Elle est morte en 1582, et dès 1602 des suppliques
affluent à Rome pour demander sa béatification.
" Bienheureuse " en 1614, elle est déclarée sainte en
1622. L'art baroque la célèbre avec somptuosité.
L'Université de Salamanque la consacre docteur mystique, l'Église a toujours refusé le privilège du doc-
torat aux femmes, mais elle ne s'est pas opposée à ce
que la Sainte figure à Saint-Pierre de Rome parmi les
fondateurs d'Ordres.

Un être d'exception qui n'est pas à notre échelle,
une sainte à la grandeur décourageante ? Les religieuses
franciscaines déchaussées de Madrid étaient dans ce
sentiment, lorsqu'elles reçurent quelques jours chez
elles la trop fameuse Thérèse. A son départ elles étaient
rassérénées : " Dieu soit béni. Il nous a permis de voir
une sainte que toutes nous pouvons imiter. Elle mange,
elle dort, elle parle comme nous, rien en elle qui sente
l'affectation. "

Proche de nous aussi, hommes du xxe siècle, elle
l'est d'abord par ses faiblesses corporelles. On la
croit bâtie à chaux et à sable alors qu'elle lutte contre
une incontestable pauvreté physique. Il faudrait des
pages nombreuses pour écrire l'histoire complète de
ses maladies. Tout le monde sait dans quel état la mit,

au cours de sa jeunesse religieuse, cette étrange affection nerveuse compliquée de " phtisie " qui dura des mois sous sa forme paroxystique et dont l'influence se faisait encore sentir vingt ans après. Vomissements, maux de tête, fièvres tierces et double-quarte, rhumatismes aigus, elle n'aura presque plus de répit au cours de son existence.

Elle connaît des moments d'extrême lassitude, où tout lui est à charge et où elle n'aurait même pas la force de chasser une mouche importune — ou bien elle se sent si irascible qu'elle voudrait " dévorer tout le monde " (sans qu'il y paraisse au dehors !)

Quant à la description qu'elle nous donne de ses faiblesses morales (notamment celles de son adolescence) il faut sans doute la prendre avec un grain de sel... Les saints en viennent à manquer parfois à l'exactitude historique par excès d'humilité.

Il est cependant certain que si, dès sa jeunesse, Thérèse a rêvé du don total, absolu, elle n'y est pas arrivée d'emblée. Sans doute nous nous accommoderions pour notre compte de ce qu'elle appelle ses périodes de lâcheté. A ce couvent de l'Incarnation, elle était considérée comme une religieuse fervente au moment où elle se débattait encore entre son amour de Dieu et son goût pour des plaisirs mondains apparemment innocents. Il ne nous déplaît pas, en tout cas, que cette mystique se soit ennuyée durant quatorze ans à l'heure de la prière, incapable d'y persévérer sans avoir un livre à ses côtés, guettant furtivement la marche des aiguilles sur le cadran de l'horloge.

Mais pouvons-nous la suivre en ses ascensions ? Un jour de l'année 1553, elle a déjà trente-neuf ans, la vue du Christ couvert de plaies lui brise le cœur et change le cours de son existence : " Je m'en souviens bien, je dis à Notre-Seigneur que je ne me lèverais point de là qu'Il n'eût exaucé ma prière. Il l'exauça, j'en suis convaincue, car à partir de ce jour mes progrès furent visibles. "

C'est pour elle le début d'une vie extatique qui épouvante quelque peu ses confesseurs et les gentilshommes compatissants, ses conseillers dans les voies de Dieu.

Mais Thérèse ne perd pas pour autant son parfum d'humanité. La vie de Dieu en elle conforte son prodigieux réalisme, épanouit son robuste bon sens. A travers quelques éclipses qui correspondent à des états de crise spirituelle, elle aime de plus en plus la nature " l'eau, la campagne, les parfums, la musique "... La contemplation nourrit en elle une action merveilleusement efficace qui ne dédaigne pas de recourir à de saintes ruses lorsque cela est nécessaire. Elle est gaie, saisit volontiers à l'heure de la récréation tambourin et castagnettes : " que Dieu me délivre des saints encapuchonnés. " Elle a le culte de l'amitié et constate avec simplicité : " Je ne sais comment on m'aime tant ." " Elle parlait familièrement et humainement à tous, écrit encore Ribera, avec allégresse, avec amour, nullement austère ou renfrognée et avec une sainte, douce, et agréable liberté, de sorte que celui qui la voyait ainsi, s'il était au courant de ses relations avec Dieu, s'étonnait que celle qui était élevée à une si haute oraison et qui parlait familièrement à Dieu, puisse parler aux hommes comme si elle n'eût rien de tout cela. "

Mais ce qui nous émeut le plus, c'est de sentir son âme à la fois comblée et douloureuse, pacifiée et déchirée. Le Christ a porté le glaive jusque dans les profondeurs de cet être en l'attirant à Lui. Madame Brésard a bien saisi cet élément dramatique qui transparaît dans l'écriture de la sainte. Une femme qui reste femme au plus profond d'elle-même par sa sensibilité passionnée, son besoin de contacts humains, d'effusion, et qui en même temps est dotée d'une lucidité, d'une énergie, d'une force d'expression proprement viriles. Peut-être ce conflit intérieur est-il l'écho du violent contraste que présentaient les parents de la Sainte : Alonso Sánchez de Cepeda, austère, énergique, homme d'action, Beatriz de Ahumada, douce, pieuse, un peu rêveuse et exaltée, toujours souffrante.

Sans doute devons-nous éviter de projeter nos conflits modernes sur une époque aussi peu teintée de psychologie. Il est certain cependant que Thérèse, toute sa vie, sera marquée douloureusement par le poids des responsabilités, écartelée entre son besoin de recueillement, de solitude, et cette vie d'action qui la sollicite jusqu'à la fin et pour laquelle elle se sent également faite... Déchirée, lucide et forte, c'est ainsi qu'elle nous apparaît profondément humaine au sein d'une destinée qui est si peu à l'échelle de l'homme.

LA PLACE DU " CHEMIN DE LA PERFECTION "
DANS L'ŒUVRE THÉRÉSIENNE.

Si Thérèse adolescente a écrit pour le plaisir d'écrire, c'est avec moins de satisfaction que, dans sa maturité, elle compose ses traités spirituels.

Comment écrirait-on avec enthousiasme lorsque l'on a si souvent mal à la tête [1], lorsqu'il faut filer pour gagner sa vie, et surtout lorsque l'on se défie de son propre savoir ? En prenant la plume, Thérèse est toujours un peu inquiète : elle craint de se tromper en des matières aussi délicates et d'égarer ses filles. Elle ne cesse de protester de son obéissance à l'Église et soumet volontiers ses écrits à la censure des théologiens. On

---

1. " On dirait qu'il y a là plusieurs rivières, des chutes d'eau, des oiseaux en grand nombre, des sifflements. Je n'entends pas tout ce bruit dans les oreilles, mais dans la partie supérieure de la tête. " (*Château de l'Ame, Quatrièmes Demeures.*)

peut penser que l'ombre de l'Inquisition n'est pas faite pour la rassurer. (Elle y sera déférée un jour, comme la plupart des bons auteurs spirituels de son temps... et aussi des mauvais !)

Pratiquement, la plupart de ses œuvres lui seront arrachées par l'ordre de ses confesseurs ou par la dévotion de ses " filles ". Un petit fait donne une idée de la curiosité passionnée qui à cette époque s'attache aux choses spirituelles. A Ségovie, le chanoine Orozco de Cavarruhès voulait lire une page du *Chemin de la perfection* que les Carmélites avaient entre les mains. Comme celles-ci refusaient de lui communiquer le manuscrit, il le prit dans le tour de la sacristie, l'emporta et le fit copier en hâte.

On " parle mystique " aussi bien dans les salons que dans les parloirs de couvent, avec d'autant plus d'intérêt que l'on confond volontiers le merveilleux le plus aguichant avec l'austère et authentique vie de la grâce.

Thérèse traitera donc de spiritualité, puisqu'il le faut. A sa correspondance alerte, inépuisable, s'ajouteront des ouvrages qui feront autorité dans l'Église. Le charme de ces œuvres vient de leur accent profondément personnel. L'auteur a soigneusement évité de se livrer à de pieuses généralités, et compris qu'il lui fallait écrire de l'abondance du cœur et parler de son expérience personnelle. Elle verse facilement dans le dialogue, puisque aussi bien c'est à ses filles qu'elle s'adresse le plus souvent. Parfois elle les oublie tout à fait pour s'entretenir avec le Christ ou avec le Père éternel.

Pas beaucoup de plan. Thérèse avoue ne pas se relire, pour laisser à son récit toute sa spontanéité, d'où ces nombreuses digressions (" Où en étais-je ? ") qui donnent tant de vie à sa prose. Mais cet écrivain-né se laisse prendre au jeu et finit par goûter un plaisir évident à couvrir des pages et des pages de sa grande et magnifique écriture, au relief si expressif, à la forme si incisive qu'on la dirait gravée.

La première de ses *Relations spirituelles* date de 1560. En 1562, l'année même de la fondation du Carmel réformé, elle commence sur la demande du Père Pedro Ibáñez le récit de sa vie et des grâces que le Seigneur lui a faites.

Le *Livre de sa Vie* à peine achevé (vers le milieu de 1565), Thérèse, à la prière des Carmélites de St. Joseph, rédige de précieuses instructions sur l'oraison : *Le chemin de la perfection.* (Son autobiographie ne leur avait pas été communiquée.)

La fondation du premier Carmel avait été très laborieuse. Thérèse, rappelée assez sèchement au monastère de l'Incarnation, avait dû quitter ses filles éplorées. Elle les avait rejointes au printemps de 1563. Mais les religieuses, craignant d'être à nouveau séparées de leur fondatrice, prirent leurs précautions. Elles subornèrent pieusement leur confesseur, le Père Báñez, qui était aussi celui de la Sainte, et demandèrent par son entremise des avis adaptés à leur vie religieuse et des conseils pour l'oraison. Thérèse n'eut plus qu'à s'exécuter.

Elle se met au travail en 1565 ou 1566. Assise par terre en sa cellule, elle écrit la nuit à la lueur d'une mauvaise chandelle, en prenant sur son sommeil pour ne pas compromettre la tâche du jour.

Le travail achevé fut soumis au contrôle et à l'approbation du Père Ibáñez et du Père García de Toledo, autre confesseur de la Sainte à cette époque. (Le manuscrit en est actuellement conservé à la Bibliothèque de l'Escurial.)

Après avoir fondé quelques monastères et enrichi encore son expérience, Thérèse éprouva le besoin de reprendre sa première rédaction pour la corriger et la compléter. Ce second manuscrit du *Chemin de la perfection* se trouve au monastère des Carmélites de Valladolid. C'est là que j'ai eu le bonheur de feuilleter, dans le grand parloir familial où tous les visiteurs viennent à la fois s'entretenir avec les Carmélites, cet in-quarto couvert d'une écriture assez régulière et portant seulement quelques ratures et suppressions de la main de la Sainte.

L'ouvrage n'était pas divisé en chapitres, originellement. L'indication a été ajoutée après coup par la Sainte : quarante-trois chapitres dont trois seulement avaient un titre. (Le chapitre XVIII y suit immédiatement le chapitre XVI, du fait des suppressions[1].)

Une copie de ce manuscrit, conservée au Carmel de Salamanque, est datée du 6 décembre 1571. La rédaction de la seconde version du *Chemin* a donc eu lieu avant la fin de 1571, peut-être au couvent de Tolède où Thérèse a résidé en d'assez bonnes conditions physiques de juillet 1569 à août 1570.

En août 1573, elle entame le récit de ses *Fondations* et le 2 juin 1577, à Tolède, à la demande de son provincial, elle commence à écrire le *Château de l'âme* (composé en six mois), itinéraire complet du progrès spirituel depuis l'état précaire du chrétien qui côtoie le péché grave jusqu'à la consommation suprême de la perfection ici-bas : le mariage spirituel.

Ainsi se trouve situé le *Chemin de la perfection* parmi les grands traités spirituels de Thérèse d'Avila.

La traduction que l'on donne ici est faite sur le manuscrit définitif (celui de Valladolid). Le Père Báñez, qui avait examiné le premier manuscrit sans qu'il

---

1. Ce chapitre XVII sera donné pour mémoire dans la présente édition. Nous l'empruntons au manuscrit de l'Escurial.

nous reste même une approbation écrite de lui, a révisé le second avec minutie, l'a corrigé, annoté parfois, et a rédigé une approbation qui est conservée avec l'original.

Comme de nombreuses copies du *Chemin de la perfection* circulaient de son vivant (et se révélaient plus ou moins exactes), la Sainte, après s'être appliquée à les authentiquer en les corrigeant de sa main, songea à faire imprimer son travail. Elle fit part de son désir à Don Teutonio de Bragance, évêque d'Evora, qui accepta de le faire imprimer en Portugal.

L'ouvrage ne paraîtra qu'en 1583 (un an après la mort de la Sainte) mutilé et affligé de corrections très arbitraires.

Il en fut de même des éditions postérieures, telle celle de Luis de Léon (Salamanque, 1588) qui crut bon de fondre le texte de l'Escurial et celui de Valladolid, d'introduire dans cet ensemble des variantes provenant des copies manuscrites autorisées par sainte Thérèse et d'y joindre des retouches personnelles, sans prévenir le lecteur de ces malversations. C'est en 1856 que le Père Bouix, jésuite, publia pour la première fois, dans une traduction française, le texte exact de la seconde rédaction de Valladolid.

ANALYSE DU TRAITÉ

Rien de plus spontané que cet écrit. Thérèse avertit loyalement son lecteur au prologue : " Ne sachant ce que j'ai à dire, je ne saurais l'exprimer avec ordre. " Mais en même temps, elle manifeste l'intention d'écrire " quelques pensées sur l'oraison ", " quelque chose qui convienne au mode et au genre de vie de cette maison ", " quelques remèdes à certaines petites tentations du démon ", et elle ne ferme pas la porte à l'inspiration.

En fait, à travers son apparent désordre, l'ouvrage est construit, d'une manière très existentielle, puisque les conseils sur l'oraison s'insèrent dans le contexte historique du temps et dans celui de la réforme carmélitaine... Ils sont donnés en référence constante à la vie morale, dont la prière est inséparable, et à la vie sacramentaire — l'eucharistie. Ils s'appuient en outre sur la prière même du Seigneur, telle qu'elle s'exprime dans l'oraison dominicale. On ne peut rêver d'un ensemble plus large.

Le monde est en feu (ch. I-III) du fait de la Réforme, et Thérèse songe spécialement à la France ravagée par les guerres de religion. Ceux qui défendent l'Église : théologiens, prédicateurs, sont très exposés dans la bataille. Ils ont besoin d'une grâce puissante... Et la Sainte avoue à ses sœurs que l'intention de leur porter secours est à la source de sa conversion personnelle comme aussi de l'établissement de sa réforme religieuse.

C'est pour cette œuvre spirituelle qu'elle a réuni autour d'elle quelques sujets. Il s'agit là de la gloire et du bien de l'Église. Comment pourrait-on en face de telles perspectives s'absorber dans des petits soucis temporels, se cantonner dans des intentions personnelles de prière ? Le traité d'oraison qu'elle écrit ne se ramène donc en aucune façon à un seul-à-seul avec Dieu, dans l'indifférence d'autrui. On y distingue trois parties : des conseils ascétiques, un petit traité de l'oraison mentale et un traité de l'oraison contemplative présenté sous la forme d'un commentaire du *Pater*.

1. *Des conseils ascétiques* (ch. IV à XVII).

Avant de parler de l'oraison, Thérèse veut insister sur ce point : la valeur de la prière est fonction, dans une âme, de la qualité de son comportement moral. Impossible de concevoir l'oraison comme une activité autonome qui pourrait coexister avec une vie chaotique. Les conseils ascétiques préliminaires se ramènent à trois chefs principaux : amour fraternel, détachement à l'égard des créatures, humilité véritable.

L'amour du prochain (ch. V à VIII) est traité évidemment dans le cadre de la vie religieuse; c'est pourquoi Thérèse insiste sur l'écueil des amitiés particulières, même apparemment innocentes, qui peuvent faire tant de ravages dans une communauté cloîtrée, et sur les précautions spirituelles qu'il importe de prendre. L'attachement aux confesseurs attitrés, de la part de certaines sœurs, et surtout de la prieure, peut également entraver la liberté spirituelle d'autrui.

Les chapitres VII et VIII qui traitent de " l'amour spirituel " sont beaucoup plus universels. Thérèse y fait le portrait de ces âmes " généreuses et royales ", qui savent discerner chez les autres ce qui mérite d'être aimé sans s'arrêter à des considérations superficielles. Ces âmes ne recherchent aucun profit, même sur le plan de l'affection, ne redoutent aucune fatigue pour aider les êtres qu'elles ont pris en charge. Tout compte fait, " elles aiment beaucoup plus; leur amour est plus vrai, plus ardent, plus utile; enfin, c'est de l'amour ".

Le chapitre VIII humanise la description de cet amour désintéressé, en concédant qu'il n'abolit pas les premiers mouvements de la sensibilité et qu'il ne s'établit que très progressivement dans l'âme. Suivent quelques conseils vigoureux pour l'obtenir : compatir aux souffrances des autres, même aux plus petites, être gaies avec tous, prier pour ceux qui commettent des fautes, prendre toujours sur soi ce qu'il y a de plus fatigant.

Pas d'amour sans *détachement*. Au chapitre II il a déjà été traité de la pauvreté : " bien qui renferme en soi tous les biens du monde ".

Mais Thérèse revient (ch. IX et X) sur le détachement entretenu par un genre de vie qui sépare de tout et même des parents, car les rapports trop fréquents avec eux sont, pour les religieuses cloîtrées, la source de grands dommages spirituels.

A quoi bon se détacher de ses proches si l'on ne se détache également de soi-même ? Tel est le sujet des chapitres XI, XII et XIII, qui apprennent aux Carmélites à lutter contre leurs aises et le souci excessif de leur corps. De ces conseils virils, tout chrétien peut faire son profit : ne pas se plaindre des maux légers, des petits malaises corporels; le Seigneur nous laisse parfois d'autant plus malades que nous nous soignons davantage...

Bref, " si nous ne nous déterminons à mépriser une bonne fois la mort et la perte de la santé, nous ne ferons jamais rien. " Mais tout de suite la sagesse et la modération corrigent ce que cette fière déclaration peut avoir d'excessif : " Dans tout ce que je viens de dire, il n'est pas question d'un mal violent comme une forte fièvre, par exemple; et cependant si l'on vient à se plaindre, que ce soit toujours avec modération et patience. "

Au-delà du physique, il faut s'exercer à résister toujours plus vigoureusement à ses penchants, même dans les petites choses, afin que le corps prenne l'habitude de s'assujettir à l'esprit et apprenne à contredire en tout la volonté. (Il s'agit de la " volonté propre ", c'est-à-dire des tendances plus ou moins anarchiques de l'individu, polarisées par son égoïsme personnel et donc opposées à la règle morale comme au bien général.)

La troisième disposition morale nécessaire à la vie d'oraison est l'*humilité*. Cette vertu apparaissait déjà en filigrane au chapitre XI, où il est déclaré qu'humilité et détachement sont deux sœurs qu'il ne faut pas séparer. Au milieu du chapitre XIII, la réformatrice commence à s'attaquer au fameux " point d'honneur " qui était le péché mignon des âmes de son temps en Espagne. Foin des questions de préséance qui risquent de s'imposer en religion et que le démon prend plaisir à cultiver au grand dam de la vie spirituelle ! La question est si importante que le chapitre XIV lui est encore consacré : " Toutes les personnes qui veulent tendre à la perfection doivent fuir de mille lieues des paroles comme les suivantes : J'avais raison — on m'a fait tort — celle qui m'a fait cela n'avait pas raison... etc. "

Une forme particulièrement affligeante de l'orgueil est le manque de jugement (ch. XV). Les personnes qui en sont affectées s'estiment plus sages que tout le monde. " C'est là à mon avis un mal incurable, et il est bien rare qu'il ne soit pas accompagné de malice. "

Une forme éminente de l'humilité consiste à ne pas s'excuser quand on se voit condamné sans être coupable (ch. XVI). On marche ainsi sur les traces du Sauveur, condamné sans motifs parce qu'il s'est chargé de toutes nos fautes.

2. *Un traité de l'oraison mentale* (ch. XVII à XXIX).

Le chapitre XVII est emprunté au manuscrit de l'Escurial. Il a été supprimé ensuite par Thérèse. On peut le regretter, car il sert de transition entre les conseils moraux qui viennent de nous être donnés et les aperçus sur l'oraison mentale.

La Sainte prévient elle-même l'objection. Si elle s'est étendue sur la pratique des vertus, c'est bien parce qu'elle doit traiter de cette forme qualifiée d'oraison que l'on nomme contemplation. Or la contemplation, loin d'être une pure technique spirituelle, exige la pratique des plus hautes vertus.

Nous aurons profit ici, plutôt qu'à suivre le déroulement des chapitres, à préciser dans l'esprit de sainte Thérèse d'Avila et presque avec ses propres formules, certaines notions essentielles. Qu'il soit bien entendu que nous restons sur le plan de la psychologie qui est le sien.

La première forme d'oraison, la *prière vocale*, consiste principalement dans la récitation de formules et surtout de formules " très approuvées ", comme celle du *Pater*.

L'oraison mentale est un progrès. Initialement associée à la prière vocale, elle exige une sorte d'attention spirituelle aux paroles prononcées. Songer à qui l'on parle, se rappeler ce que l'on est, réfléchir à ce que l'on demande.

L'oraison mentale peut, avec le temps, se suffire à elle-même et prendre la forme d'une méditation personnelle; elle consiste alors à se pénétrer intérieurement des vérités de la foi. " Connaître notre Époux (le Christ), son Père, le pays où Il doit nous conduire, les biens qu'Il nous promet, quel est son caractère, par quel moyen nous pouvons le contenter. Bien comprendre ces vérités, c'est faire l'oraison. "

Au chapitre XXVIII, Thérèse expose une sorte de méthode d'oraison mentale très simple et déjà presque contemplative. Examiner sa conscience, réciter un confiteor, faire le signe de la Croix, puis s'appliquer à trouver la compagnie du Seigneur en se le représentant tout proche... Il n'est pas question de se livrer à d'intenses efforts de concentration ni à de hautes considérations, mais simplement de " porter le regard de l'âme " sur celui qui ne nous perd jamais de vue... Le tout avec une grande liberté et en fonction même de notre état d'âme, qui nous inclinera, si nous sommes dans la joie, à nous unir à l'allégresse de sa résurrection, si nous sommes dans la tristesse à le suivre dans ses douleurs... " Parlez-lui donc, non pas en lui adressant un discours étudié mais en lui exprimant la peine de votre cœur... " " Traitez avec lui comme avec un père, un frère, un Maître, un Époux. "

On peut également, pour entretenir la présence de Notre-Seigneur, se servir d'une image, d'un livre ou même retourner à la prière vocale, mais à condition de la bien dire. Et Thérèse lutte avec indignation contre une certaine peur de la prière profonde que l'on inculquait aux moniales de son temps. Ne disait-on pas que ces femmes, seulement expertes à filer, devaient se contenter de réciter leurs Pater et leurs Ave sans aller plus loin ! Le chapitre XXVI est tout entier consacré à ce sujet : Il faut faire la prière vocale avec perfection, c'est-à-dire y joindre l'oraison mentale.

A partir du chapitre XXVII apparaît cette forme plus élevée d'oraison que Thérèse, avec la tradition chrétienne, appelle *contemplation*. Elle la définit comme un pur don de Dieu et insiste sur sa gratuité. On peut se sauver et même arriver à une vraie perfection sans être proprement contemplatif.

Sur le plan psychologique qui est le sien, la Sainte définit la contemplation comme une suspension de l'activité des diverses facultés [1], résultant de la présence

---

1. Les " facultés " sont considérées ici, dans l'esprit de la philosophie traditionnelle, comme des pouvoirs permanents, distincts et en même temps enracinés dans l'âme, et lui permettant d'agir dans divers domaines. La distinction classique des facultés est celle-ci : intelligence, volonté, mémoire.

du Maître divin expérimentée au fond de l'âme. Cette expérience est obscure, les facultés jouissent sans comprendre comment elles jouissent, l'âme s'enflamme d'amour sans comprendre comment elle aime...

Sainte Thérèse d'Avila semble penser que d'assez nombreuses âmes de prière connaissent, dans les débuts, des formes de contemplation passagère qui leur sont une invitation au don total. En général elles répondent si faiblement aux avances divines que celles-ci se taisent ensuite. Mais si le don de la contemplation n'est pas fait à certaines âmes, ce n'est pas toujours de leur faute (ch. x). Leur tempérament peut les rendre inaptes à toute concentration sans pour autant les empêcher de progresser dans le chemin de la perfection. " Sainte Marthe ne laissait pas d'être une sainte, bien qu'on ne dise qu'elle fut contemplative. Que prétendez-vous de plus que de ressembler à cette bienheureuse sainte ? " Bref, il y a différentes voies pour aller à Dieu, comme il y a beaucoup de demeures au Ciel.

En tout cas, il ne faut pas croire que les vrais contemplatifs ont une vie facile et sont en perpétuelle jubilation. Porte-étendard, chefs de la milice de l'Église, leur responsabilité et leurs travaux surpassent ceux des purs actifs (ch. xx).

Une image sous-jacente à ce traité de l'oraison, et spécialement commentée au chapitre xxi, l'éclaire d'une lumière symbolique, celle de l'*eau vive*, inspirée peut-être à Thérèse par une réminiscence de son enfance [1].

Le chemin de la perfection est celui qui conduit à la source d'eau vive, symbole de la contemplation. " Qui boit de cette eau n'a plus soif des choses de cette vie... " " Elle rassasie l'âme des biens célestes ",

---

1. Elle avait en effet dans sa chambre une gravure représentant la Samaritaine au puits de Jacob. " Seigneur, donnez-moi de cette eau. "

rafraîchit, purifie, désaltère... " Il suffit d'en boire une
seule fois, et je regarde comme certain qu'elle rend
l'âme nette et pure de toutes ses fautes. " " Car cette
eau, je veux dire l'oraison d'union, est une faveur
entièrement surnaturelle qui ne dépend point de notre
volonté. "

" Les douceurs dont nous jouissons par l'entremise
de l'intelligence dans la méditation ordinaire seront
malgré tout comme une eau qui coule sur la terre.
On ne la goûte pas à la source même; elle rencontre
forcément de la fange sur sa route; elle n'est plus aussi
pure ni aussi limpide. Le nom d'eau vive ne convient
donc pas, d'après moi, à cette oraison que l'on fait
lorsque l'on discourt avec l'entendement. "

Le désir de cette eau vive est légitime pourvu qu'il
ne nous use pas et qu'il ne s'y mêle pas de recherche
de soi.

3. *Un commentaire du Pater* (ch. xxix à la fin).

L'oraison dominicale est la prière par excellence,
celle dans laquelle le Seigneur nous enseigne tous les
degrés d'oraison, depuis la simple oraison mentale
jusqu'aux formes les plus élevées de la contemplation.
Et ce sont précisément ces formes que la Sainte va
décrire maintenant.

A l'occasion de l'invocation " Notre Père qui êtes
aux cieux ", elle traite d'abord de l'*oraison de recueillement* qui est comme un prélude à l'activité contemplative (ch. xxix à xxxi). Les sens se retirent des objets
extérieurs, les yeux du corps se ferment spontanément,
le regard de l'âme s'éveille, elle considère Dieu présent
au-dedans d'elle-même. Si elle récite encore des prières
vocales c'est avec une extrême lenteur et intensité.

Le don absolu de soi-même va de pair avec le parfait

recueillement. Au milieu même de ses occupations l'âme prend l'habitude de se retirer au-dedans, ne fût-ce qu'un instant. Il s'agit d'une démarche progressive, d'une habitude qui s'acquiert par des efforts constamment renouvelés, et qui conduit aux portes de la contemplation.

L'oraison de quiétude.

L'oraison de quiétude entrouvre ces portes. La Sainte commence à en parler au chapitre XXXII, à propos de la demande du Pater : " Que votre règne arrive. "

Presque plus de paroles, sauf de temps à autre " une parole douce comme le souffle qui rallume le flambeau éteint, mais qui, je crois, suffirait à l'éteindre s'il brûlait encore ".

L'âme n'a quasi aucun effort à fournir; comme l'enfant à la mamelle elle se borne à avaler la nourriture qui lui est offerte. Le corps lui-même se met au repos et évite de bouger.

" L'âme entre alors dans la paix ou, pour mieux dire, le Seigneur l'y met par sa présence. Toutes ses facultés sont dans le repos. Elle comprend, mieux qu'elle ne le pourrait à l'aide des sens extérieurs, qu'elle est tout près de son Dieu, et pour peu qu'elle s'en rapprochât davantage, elle deviendrait par l'union une seule chose avec lui. Mais elle ne le voit ni des yeux du corps ni des yeux de l'âme. " Thérèse fait encore appel à la distinction des facultés pour essayer d'expliquer ce qui se produit alors : seule la volonté est véritablement captivée par la divine présence, l'intelligence et la mémoire gardent au contraire une certaine liberté... D'où des distractions, de légers troubles qui courent pour ainsi dire à fleur d'âme et contre lesquels il

importe de réagir avec adresse. On ramènera plus
sûrement ses facultés au recueillement en se détournant
de ces agitations qu'en cherchant à les analyser.

Certains états forts de l'oraison de quiétude peuvent
se prolonger un jour ou deux, au milieu même des
occupations extérieures, sans nuire à celles-ci mais en
empêchant de s'y plonger totalement.

Le Seigneur a lancé son appel : l'âme qui veut y
être fidèle doit abandonner toutes ses recettes et ses
formules...

L'oraison d'union.

On s'attendrait à ce qu'ensuite Thérèse traite de
l'*oraison d'union*, mais elle l'a fait plus haut en parlant
de la " pure contemplation " symbolisée par la source
des eaux vives. L'union totale fait de l'âme une seule
chose avec Dieu. Cette fois les trois facultés de l'âme
sont prisonnières, aucune ne peut se distraire de
l'étreinte spirituelle. Pour reprendre l'exemple de l'enfant à la mamelle, l'âme n'a même plus besoin de faire
le faible effort de déglutition. Elle trouve sa nourriture
au-dedans d'elle-même sans comprendre comment le
Seigneur l'y a mise.

Sainte Thérèse d'Avila craint toujours que l'on
n'isole ces descriptions des oraisons contemplatives de
leur contexte de générosité morale. Aussi au chapitre
XXXIV (" Que votre volonté soit faite sur la terre
comme au Ciel ") revient-elle sur les exigences du
renoncement : " Tous les conseils que je vous ai donnés
dans ce livre n'ont qu'un but, celui de vous amener
à vous livrer complètement au Créateur, à lui remettre
votre volonté et à vous détacher des créatures. "

Il n'y a pas d'autre moyen pour devenir contemplatif, et même, en un sens, la contemplation c'est

cela...La vraie contemplation ne saurait davantage s'isoler du contexte sacramentaire dans lequel elle s'épanouit en climat catholique, et principalement de l'eucharistie (ch. xxxv à xxxvii). N'a-t-on pas dit sottement que sainte Thérèse d'Avila, trop attentive à la présence de Dieu en elle et à la rencontre personnelle de l'oraison, se désintéressait de la liturgie ? Le commentaire de la demande du Pater " Donnez-nous aujourd'hui notre pain quotidien " (ch. xxxv et sq.) est la meilleure réponse à de telles objections.

Jésus a voulu mettre son amour sous nos yeux, non un jour seulement, mais tous les jours. Il a pris le parti de demeurer parmi nous, de se livrer à notre discrétion. Et le Père a accepté de réaliser ce désir de son Fils, tout en sachant les traitements indignes qui lui seraient réservés dans l'eucharistie. Le cœur de Thérèse se fond à cette pensée. Elle insiste sur les dispositions de foi qui doivent se trouver dans l'âme du communiant au moment de l'action de grâces. Il faut fermer les yeux du corps, ouvrir ceux de l'âme. La communion est le sacrement même de l'union, le fondement de toute vie mystique, dans la mesure où elle peut s'accompagner d'une manifestation du Seigneur qui, sans évacuer le mystère de la foi, l'illumine singulièrement.

" Si vous veillez à avoir une telle pureté de conscience qu'on vous permette de vous approcher souvent de la sainte Table, Il ne se dérobera pas tellement à vos regards qu'Il ne se manifeste à vous de bien des manières, dans la mesure où vous désirez le contempler. Vous pourrez même y apporter tant d'amour qu'il se manifestera complètement à vous. "

Et le *Chemin de la perfection* s'achève comme il a commencé, par de nouvelles *considérations d'ordre ascétique.*

La demande du Pater " Pardonnez-nous nos offenses "
(ch. xxxviii) ramène tout naturellement la question
du point d'honneur... Les âmes que Dieu élève à la
contemplation parfaite peuvent éprouver quelque
chagrin naturel quand elles sont en butte aux injures,
mais elles passent rapidement là-dessus. La valeur de
l'oraison s'apprécie à la mesure de l'humilité.

" Ne nous laissez pas succomber à la tentation " : Il
ne s'agit pas pour les contemplatifs d'être délivrés des
tentations, des persécutions ou des combats, car ils
désirent plutôt les épreuves et comme des soldats de
métier cherchent toutes les occasions de combattre.
Ils ne redoutent pas leurs ennemis déclarés mais plutôt
les traîtres, les démons déguisés en anges de lumière.
C'est pourquoi il leur est très utile de se servir de cette
demande du Pater pour conjurer le Seigneur de n'être
pas victimes des illusions entretenues par le démon.

Et Thérèse de détailler certaines de ces illusions.
En matière d'humilité, le démon peut nous faire
croire que nous avons telle ou telle vertu dont nous
sommes en réalité dépourvus. A l'inverse, il peut
susciter dans l'âme une fausse humilité (ch. xli) afin
de la plonger dans le trouble, le scrupule et de l'écarter
ainsi de la communion. Il en est qui, poussés par le
démon, se livreront à l'insu de leur confesseur à des
pénitences excessives... D'autres ne se tiennent plus
sur leurs gardes, parce qu'ils sont victimes d'une
fausse sécurité à l'égard de leurs fautes passées ou
des périls du monde. L'amour et la crainte de Dieu
nous mettent seuls en sécurité à l'égard des tentations
et des vaines terreurs par lesquelles le démon cherche
à nous effrayer (ch. xlii).

" Comme j'ai été longue ! " s'écrie Thérèse en
commençant le chapitre xliii qui traite encore de
la véritable crainte de Dieu, basée sur une parfaite
pureté de conscience. Il ne lui reste plus qu'à conclure

avec le Pater " Délivrez-nous du mal, Ainsi soit-il "
(ch. XLIV) et à faire hommage au Seigneur de son
travail.

Il était nécessaire, croyons-nous, afin d'en faire
hommage, à notre tour, au lecteur moderne, d'apporter
ces précisions indispensables à la lecture d'un texte
dont il importe de dégager la signification intem-
porelle, dans la mesure même où il est très engagé
dans une époque et dans un milieu.

François de Sainte-Marie.
o. c. d.

Biographie
de sainte Thérèse
d'Avila

28 *mars* 1515 Naissance de Teresa de Cepeda y Ahumada.

1528 Mort de sa mère.

1531 Entre comme pensionnaire au couvent des Augustines de N.-D. de Grâce, à Avila.

1532 Très malade, retourne chez son père.

1536 2 *novembre:* Prise d'habit au couvent de l'Incarnation, à Avila.

1537 3 *novembre:* Profession de Thérèse à l'Incarnation. Elle subit bientôt une très grave attaque de sa maladie nerveuse.

1538 Se rend à Becedas pour se soigner; séjourne au passage chez son oncle à Ortigosa del Rio Almar et chez sa sœur à Castellanos de la Cañada.

1539 En juin, est ramenée mourante dans la maison de son père à Avila; demeure quelques jours dans le coma (août). Rentre à l'Incarnation.

1540 Amélioration de son état; période de relâchement et de tiédeur spirituelle.

1542 Demi-conversion, à la suite d'une apparition de Jésus.

1543 Mort de son père. Longue période de " sécheresses spirituelles ".

1553(?) Conversion définitive, premières faveurs spirituelles.

1554 Elle rencontre saint François de Borgia, qui l'encourage dans la voie contemplative.

1556-1560 Sainte Thérèse atteint aux plus hautes faveurs spirituelles : ravissements, vision de l'enfer, enfin transverbération.

1558 Rencontre saint Pierre d'Alcantara, qui l'approuve également.

2

1560   Pense à fonder un couvent de Carmélites réformées.

1562   Rédige une première fois sa *Vie*, sur l'ordre de son confesseur, à Tolède.
Fondation de *Saint-Joseph d'Avila*, et retour immédiat de sainte Thérèse à l'Incarnation.

1563   Sainte Thérèse revient définitivement au couvent de St-Joseph avec quatre religieuses.

1565 ou 1566   Commence la rédaction du *Chemin de la perfection*.

1567   Le Père Rubeo, supérieur général de l'Ordre du Carmel, autorise la fondation de couvents réformés d'hommes et de femmes.
Fondation de *Medina del Campo*. Première rencontre avec le futur saint Jean de la Croix. Nouvelle rédaction de sa *Vie*.

1568   Promulgation des Constitutions du Carmel réformé. Fondation de *Malagón* et de *Valladolid*. Fondation, par saint Jean de la Croix, du premier couvent d'hommes à Duruelo.

1569   Fondation de *St-Joseph de Tolède* et des deux couvents de *Pastrana* (carmes et carmélites).

1570   Fondation du couvent de *Salamanque*.

1571   Fondation à *Alba de Tormes*. Premières difficultés de sainte Thérèse avec les Mitigés [1]. Elle reçoit l'ordre de se retirer au couvent de l'Incarnation, où elle est imposée comme prieure.

1572   Saint Jean de la Croix devient le chapelain de l'Incarnation. Sainte Thérèse rédige définitivement les *Pensées sur l'Amour de Dieu*, et accède au mariage mystique avec le Christ.

1574   Fondation d'un couvent à *Ségovie*.

1575   Fondation à *Beas*. Première rencontre avec Gracián, qui deviendra son meilleur ami et conseiller. Début de la lutte entre Carmes déchaux et Mitigés. On dénonce sainte Thérèse à l'Inquisition; fondation de *Séville*.

1575   Chapitre général de l'Ordre à Plaisance (Italie) : le Père Salazar, Provincial, donne à sainte Thérèse l'ordre de se retirer dans un couvent de Castille.

1576   Fondation de *Caravaca* ; sainte Thérèse quitte Séville et revient à Tolède. Les persécutions contre les Déchaux s'intensifient.

1577   Rédaction du *Château de l'âme* (ou *Demeures*). Sainte Thérèse retourne à Avila, où elle se casse le bras dans la nuit de Noël. Emprisonnement de saint Jean de la Croix à Tolède.

1. Ou Carmes non-réformés.

1578 Le nouveau Nonce Sega soumet les Déchaux aux Mitigés. Persécutions à Séville.

1579 Sous la pression de Philippe II, Sega rétablit l'autonomie des Déchaux.

1580 Fondation de *Villanueva de la Jara*, puis de *Palencia*. Sainte Thérèse tombe à nouveau gravement malade. Bulle de Grégoire XIII consacrant l'autonomie des Déchaux.

1581 Le Chapitre d'Alcala confirme les Constitutions des Déchaux. Fondation de *Soria*. Sainte Thérèse est élue Prieure à St-Joseph d'Avila.

1582 Fondation de *Burgos*. Mort de sainte Thérèse à Alba de Tormes, le 4 octobre.

Pour cette biographie, on a principalement utilisé l'ouvrage de Marcelle Auclair, *La vie de sainte Thérèse d'Avila*, aux Éditions du Seuil, 1950, ainsi que l'ouvrage de E. Allison Peers, *Handbook to the life and time of Sta Teresa and St John of the Cross*, Burns Oates, 1954, et la *Biografía de Santa Teresa*, du R. P. Efrén de la Madre de Dios, O. C. D, Madrid (B. A. C.), 1951.

*Le chemin
de la
perfection*

LIVRE APPELÉ
CHEMIN DE LA PERFECTION

*Composé par Thérèse de Jésus, religieuse de l'Ordre
de Notre-Dame du Mont-Carmel. Il est destiné
aux religieuses déchaussées de Notre-Dame
du Mont-Carmel de la règle primitive* [1].

Jésus ! Ce livre contient des Avis et des Conseils
que Thérèse de Jésus donne à ses sœurs et filles les
religieuses des monastères de la règle primitive de
Notre-Dame du Carmel, qu'elle a fondés avec l'aide
de Notre-Seigneur et de Notre-Dame, la glorieuse
Vierge, Mère de Dieu. Elle l'adresse en particulier
aux Sœurs du monastère de Saint-Joseph d'Avila,
le premier qu'elle ait établi et dont elle était prieure
lorsqu'elle l'écrivit.

---

1. Ce titre a été mis par la Sainte elle-même sur la première feuille
de l'autographe de Valladolid. Dans la lettre du 2 janvier 1577 à
son frère Don Laurent, elle l'appelle aussi *Explication du Pater* bien
qu'elle ne commence cette explication qu'au chapitre XXVI.

PROTESTATION[1]

Je me soumets en tout ce que je dirai dans ce traité
à ce que propose notre Mère la sainte Église romaine,
et s'il s'y rencontre quelque chose de contraire à son
enseignement, ce sera parce que je ne le comprends
pas. Aussi je supplie pour l'amour de Notre-Seigneur
les savants qui doivent l'examiner d'y veiller avec
beaucoup d'attention, de corriger les fautes de ce genre
qui pourraient s'y trouver ainsi que les autres en grand
nombre qu'il y aurait sur d'autres points. S'il renferme quelque chose de bon, que ce soit pour l'honneur
et la gloire de Dieu; que ce soit, en outre, pour la
gloire de sa très sainte Mère, notre Patronne et Souveraine, dont, malgré toute mon indignité, je porte
l'habit.

---

1. Cette protestation fut dictée par la Sainte et écrite par Anne
de Saint-Pierre au commencement de la copie du *Chemin de la Perfection*
qui se trouve à Tolède et qui fut publiée en 1583 à Evora.

Prologue

Jésus ! Il est venu à la connaissance des Sœurs de ce monastère de Saint-Joseph que le Père Présenté Frère Dominique Bañez, de l'Ordre du glorieux saint Dominique, mon confesseur actuel, m'avait permis d'écrire quelques pensées sur l'oraison. Elles ont cru que je pourrais réussir dans ce travail, parce que j'avais traité avec un grand nombre de personnes spirituelles et saintes. Aussi elles m'ont tellement sollicitée de l'entreprendre, que je me suis décidée à leur obéir. Je sais le profond amour qu'elles me portent; voilà pourquoi elles liront peut-être plus volontiers une œuvre imparfaite et mal écrite, venant de moi, que certains livres fort bien composés par un savant qui sait ce qu'il dit. J'ai confiance en leurs prières, peut-être qu'à cause d'elles le Seigneur daignera m'accorder la grâce de dire quelque chose qui convienne au mode et au genre de vie de cette maison. Si mon travail est défectueux, le Père Présenté, qui doit le voir tout d'abord, le corrigera ou le jettera au feu. Pour moi, je n'aurai rien perdu à obéir à ces fidèles servantes de Dieu. Elles constateront ce que je puis par moi-même, quand Sa Majesté ne m'accorde pas son assistance.

Mon but est d'indiquer quelques remèdes à certaines petites tentations du démon, dont peut-être on ne fait pas de cas précisément parce qu'elles sont très petites. Je traiterai, en outre, d'autres points, selon que le Seigneur m'en donnera l'intelligence ou que le souvenir s'en présentera. Ne sachant pas ce que j'ai à dire, je ne saurais l'exposer avec ordre. Le mieux d'ailleurs, à mon avis, est de n'en point mettre, puisque c'est déjà une chose si contraire à l'ordre que je me mêle d'écrire sur ce sujet. Plaise au Seigneur de m'assister en tout cet écrit, afin qu'il soit conforme à sa sainte volonté; car tel est mon désir constant, bien que mes œuvres soient aussi imparfaites que moi.

Je peux assurer que ni l'amour, ni la bonne volonté ne me manquent pour aider de tout mon pouvoir les âmes de mes sœurs à réaliser les plus grands progrès possibles dans le service de Dieu. Mon amour pour elles, joint à mon âge et à l'expérience que j'ai de quelques monastères, fera peut-être que je réussirai mieux que des savants à traiter de certaines petites choses. Ceux-ci en effet, ayant des occupations importantes et étant des hommes forts, ne font pas autant de cas que nous de choses qui en soi ne semblent rien; car tout peut nous nuire à nous autres femmes, faibles comme nous le sommes. Le démon par ailleurs emploie une foule de pièges contre les personnes qui vivent dans une étroite clôture; il voit qu'il lui faut de nouvelles armes pour leur porter préjudice. Pour moi, misérable comme je le suis, j'ai mal su me défendre; aussi je voudrais que mes sœurs apprissent à tirer profit de mes fautes. Je ne dirai rien que je ne connaisse par mon expérience personnelle, ou que je n'aie vu dans les autres.

Il y a peu de jours, on m'a commandé d'écrire une relation de ma *Vie*, où j'ai traité plusieurs points d'oraison. Peut-être mon confesseur ne voudra-t-il pas que vous la voyiez; voilà pourquoi je marquerai ici plusieurs des choses qui y sont dites, et j'ajouterai celles qui me paraîtront nécessaires. Plaise au Seigneur de mettre lui-même la main à cet écrit, comme je l'en ai supplié, et de le diriger à sa plus grande gloire ! Ainsi soit-il !

CHAPITRE I

*Du motif pour lequel j'ai établi ce monastère
dans une si étroite clôture.*

J'ai raconté dans le livre dont je viens de parler [1]
les motifs qui m'ont déterminée à réaliser cette fondation [2]; j'ai exposé, en outre, plusieurs faveurs extraordinaires par lesquelles le Seigneur a manifesté qu'il
y serait très fidèlement servi. Lorsqu'on traita de la
fondation, mon but n'était point qu'il y eût tant d'aus-
térité extérieure, ni qu'on y vécût sans revenus.
J'aurais voulu, au contraire, tout disposer pour que
rien n'y manquât. J'étais faible et imparfaite; néanmoins je me sentais mue plutôt par des intentions
droites que par le désir de ma propre commodité.

Ayant appris vers cette époque de quelles terribles
épreuves souffrait la France, les ravages qu'y avaient
faits les luthériens, et les effroyables développements
que prenait leur malheureuse secte, j'éprouvai une
peine profonde. Comme si j'eusse pu, ou que j'eusse été
quelque chose, je pleurais avec le Seigneur et le sup-
pliais de porter remède à une telle calamité. Il me semblait que j'aurais sacrifié volontiers mille vies pour
sauver une seule de ces âmes qui s'y perdaient en
grand nombre. Mais étant femme et bien imparfaite
encore, je me voyais impuissante à réaliser ce que
j'aurais voulu pour la gloire de Dieu. Tout mon
désir était, et est encore, que, puisqu'il a tant d'ennemis
et si peu d'amis, ceux-ci du moins lui fussent dévoués.

1. Celui de sa *Vie*, chap. XXXII.
2. Celle du monastère de Saint-Joseph, à Avila.

Je me déterminai donc à faire le peu qui dépendait de moi, c'est-à-dire à suivre les conseils évangéliques dans toute la perfection possible et à porter au même genre de vie les quelques religieuses de ce monastère. Je me confiai en la bonté infinie de Dieu, qui ne manque jamais d'assister l'âme quand elle renonce à tout par amour pour lui. Mes compagnes, en tout point conformes à mes désirs, pourraient par leurs vertus couvrir mes fautes et de la sorte, j'arriverais à contenter le Seigneur en quelque chose. Nous nous mettrions toutes en prière pour les défenseurs de l'Église, pour les prédicateurs et les savants qui la soutiennent, et nous aiderions dans la mesure de nos forces ce Seigneur de mon âme. Il est poursuivi de si près par ceux qu'il a comblés de tant de bienfaits ! Ces traîtres voudraient, semble-t-il, le crucifier de nouveau et ne pas lui laisser un seul endroit pour reposer sa tête.

O mon Rédempteur, je ne puis supporter ce spectacle sans que mon cœur soit brisé de douleur ! Que sont devenus aujourd'hui les chrétiens ? Ceux qui vous offensent davantage seront donc toujours ceux qui vous sont le plus obligés, ceux qui reçoivent de vous le plus de bienfaits, que vous choisissez pour amis, afin de vivre en leur compagnie, et que vous comblez de grâces par les Sacrements ? Ne sont-ils donc pas satisfaits de toutes les souffrances que vous avez endurées pour eux ? En vérité, ô mon Seigneur, ce n'est pas un grand sacrifice aujourd'hui de se séparer du monde. Dès lors qu'il vous est si peu fidèle, que pouvons-nous en attendre ? Est-ce que par hasard nous méritons davantage qu'il nous estime ? Lui aurions-nous donné plus de marques de dévouement pour qu'il nous garde son amitié ? Qu'attendons-nous donc de lui, nous qui, par la bonté du Seigneur, sommes à l'abri de cette compagnie pestilentielle, tandis que les infortunés qui s'y trouvent sont déjà sous la puissance du démon ? Ils ont préparé leur châtiment de leurs propres mains, et ce qu'ils ont récolté de leurs plaisirs, c'est le feu éternel. Tant pis pour eux; et pourtant mon cœur se brise de douleur en voyant se perdre tant d'âmes, et, plus encore, de voir s'en perdre tous les jours davantage.

O mes sœurs en Jésus-Christ, aidez-moi à adresser cette supplique au Seigneur. C'est pour cela qu'il vous a réunies ici; c'est là votre vocation; ce sont là vos affaires; tel doit être l'objet de vos désirs, le sujet de vos larmes, le but de vos prières. Non, mes sœurs, nos affaires ne sont point celles du monde. Je me prends à rire, mais je m'attriste aussi, quand je vois des personnes qui viennent nous charger de prier Dieu pour leur obtenir de Sa Majesté des rentes et de l'argent, lorsque je voudrais voir plusieurs d'entre elles lui demander la grâce de fouler aux pieds tous les biens de la terre. Leur intention est bonne; et la vue de leur piété nous porte à céder à leurs demandes. Néanmoins ma conviction intime est que Dieu ne m'écoute jamais lorsque je lui présente de telles suppliques. Le monde est en feu ! On voudrait, pour ainsi dire, condamner de nouveau Jésus-Christ puisqu'on l'accable de tant de calomnies ! On voudrait en finir avec son Église ! Et nous perdrions du temps à présenter des suppliques qui, si Dieu les exauçait, feraient qu'il y ait peut-être une âme de moins au ciel ! Non, mes sœurs, non, ce n'est point l'heure de traiter avec Dieu d'affaires de peu d'importance. Certes, si je ne considérais la faiblesse humaine qui se réjouit d'être toujours aidée et que nous devons secourir, quand nous le pouvons, je serais très heureuse que l'on comprît que ce ne sont point là des choses que l'on doit demander à Dieu avec tant d'ardeur.

CHAPITRE II

Ce chapitre montre comment on ne doit pas se préoccuper des nécessités temporelles et quels sont les avantages de la pauvreté.

Ne vous imaginez pas, mes Sœurs, qu'en négligeant de contenter le monde, vous n'aurez pas de quoi manger. Ne recherchez jamais votre subsistance par des artifices humains; sans quoi, je vous l'assure, vous mourrez de faim, et ce ne sera que justice. Ayez les yeux fixés sur votre Époux; c'est Lui qui doit vous procurer le nécessaire. S'il est content de vous, les personnes qui vous sont le moins dévouées vous viendront en aide, malgré elles, comme l'expérience vous l'a montré. Travaillez donc à lui plaire, et si malgré cela vous venez à mourir de faim, je dirai: Heureuses les Sœurs du couvent de Saint-Joseph!

Pour l'amour de Dieu, n'oubliez jamais ce point: dès lors que vous avez renoncé à posséder des revenus, renoncez également au souci de votre subsistance; sans quoi vous perdrez tout. Que ceux qui par la volonté de Dieu en possèdent leur attachent une telle importance, à la bonne heure; c'est très juste: ils sont dans leur voie; mais pour nous, mes Sœurs, c'est de la folie. Compter sur les rentes du prochain, c'est, à mon avis, songer à ce qu'il possède; or votre inquiétude sur ce point ne changera pas ses idées et ne lui inspirera pas le désir de vous faire l'aumône. Laissez un pareil souci à celui qui peut toucher tous les cœurs, au Maître des rentes et des rentiers. C'est à son appel que nous sommes venues ici; ces paroles sont véritables; elles ne manqueront pas de se réaliser; le ciel et la terre passeraient plutôt. Ne lui manquons pas nous-mêmes, et ne craignons pas qu'il nous manque. Si un jour il venait à nous manquer, ce serait pour un plus grand bien, comme nous le voyons par les saints, qui ont perdu la vie et que l'on a tués à cause du Seigneur; mais, finalement, le martyre augmentait leur gloire. Comme nous ferions l'échange de bon cœur, si nous pouvions en finir au plus tôt avec tout cela, et jouir du bonheur éternel !

Considérez, mes Sœurs, combien cet avis est important; voilà pourquoi je le marque ici, afin que vous vous en souveniez après ma mort; car tant que je serai sur la terre, je ne cesserai de vous le rappeler. L'expérience m'a appris quels trésors on acquiert en le suivant. Moins nous possédons, moins j'ai de soucis. Le Seigneur ne l'ignore pas : j'éprouve, ce me semble, plus de peine, lorsque les aumônes vont bien au-delà du nécessaire, que lorsque nous manquons de quelque chose. Encore ne sais-je point s'il nous a laissées dans le besoin, tant, comme nous l'avons vu, il s'est empressé de nous secourir.

Nous tromperions le monde s'il en était autrement. Nous passerions pour pauvres à ses yeux, lorsque nous ne le serions qu'à l'extérieur, sans l'être d'esprit. Je m'en ferais un cas de conscience, comme on dit; et nous serions comme des riches qui demandent l'aumône. Plaise à Dieu qu'il n'en soit pas ainsi ! Là où se manifeste le souci exagéré d'attirer des aumônes, on finit un jour ou l'autre par en contracter l'habitude; on ira même demander ce qui n'est pas nécessaire et peut-être le demandera-t-on à quelqu'un qui en a plus besoin que nous. Les donateurs, au lieu de perdre par leurs aumônes, ne pourraient que gagner; mais nous, nous y perdrions sûrement. Plaise à Dieu, mes filles, que cela n'arrive jamais ! Je préfèrerais que vous eussiez des revenus.

Ne vous préoccupez donc en aucune manière de ce point; je vous le demande comme une aumône pour l'amour de Dieu; et que la plus jeune d'entre vous, si elle vient à découvrir une telle tendance dans cette maison, élève des cris vers Sa Majesté; qu'elle prévienne humblement la Supérieure, et lui dise qu'elle n'est pas dans le bon chemin : elle y est si peu, en effet,

qu'on en arrivera petit à petit à la ruine de la vraie
pauvreté. J'espère de la bonté du Seigneur que ce
malheur n'arrivera pas, et que Sa Majesté n'abandon-
nera point ses fidèles servantes. Cet ouvrage, que vous
m'avez demandé d'écrire, vous servira au moins de
signal d'alarme.

Croyez-moi, mes filles, le Seigneur m'a donné pour
votre bien quelque intelligence des trésors renfermés
dans la sainte pauvreté. Celles d'entre vous qui en
feront l'expérience le comprendront; elles n'en auront
pas cependant une vue aussi claire que moi; car j'ai
été folle, et non pauvre d'esprit, malgré le vœu que
j'en avais fait.

La pauvreté est un bien qui renferme en soi tous
les biens du monde; elle assure un empire immense;
je le répète, elle nous rend vraiment maîtres de tous
les biens d'ici-bas, dès lors qu'on les foule aux pieds.
Qu'ai-je à voir avec les rois et les puissants de la
terre, si je ne recherche point leurs revenus ? Que
m'importe de les contenter, si par là je dois tant soit
peu déplaire à mon Dieu ? Que m'importe d'avoir
leurs honneurs, si je comprends bien que le plus grand
honneur pour un pauvre est d'être véritablement
pauvre ? A mon avis, les honneurs et les richesses
vont presque toujours de pair : celui qui désire les
honneurs ne hait point les richesses; celui qui hait les
richesses se soucie peu des honneurs.

Comprenez bien ceci. A mon avis, les honneurs
entraînent toujours avec eux quelque attachement
aux revenus et aux richesses. C'est merveille que de
trouver dans le monde un pauvre honoré ! Serait-il
digne de l'être, on en fait peu de cas. Mais la vraie
pauvreté, celle que l'on embrasse pour Dieu seul,
entraîne avec elle une honorabilité qui s'impose à tous.
Elle n'a à contenter que Dieu. Or il est bien certain
que tant que nous n'avons besoin de personne, nous
comptons beaucoup d'amis; je le sais par mon expérience personnelle.

Il a été composé beaucoup d'écrits sur cette vertu;
je ne saurais en comprendre l'excellence ni surtout en

parler; aussi pour ne point la rabaisser sous prétexte de la louer, je m'arrête. J'ai dit seulement ce que j'ai vu. J'avoue que je me suis laissée entraîner à vous en parler; et c'est seulement maintenant que je m'en aperçois, mais puisque c'est fait, que ce soit pour l'amour de Dieu. Nos armes sont dans la sainte pauvreté. Aux débuts de notre Ordre, nos bienheureux pères l'avaient en telle estime et étaient si fidèles à l'observer qu'ils ne se réservaient rien d'un jour à l'autre, comme me l'a appris quelqu'un qui le savait bien. Dès lors que nous ne la gardons plus avec autant de perfection à l'extérieur, gardons-la, au moins, d'une manière parfaite en notre intérieur. Deux heures de vie, en somme — puis la récompense infinie; et quand il n'y aurait pas d'autre récompense que celle de suivre un conseil de Notre-Seigneur, ce serait encore un magnifique salaire que d'imiter en quelque chose Sa Majesté. Voilà les armes qui doivent figurer sur nos bannières. Ne négligeons rien pour les conserver. Que tout y soit conforme : nos monastères, nos habits, nos paroles et surtout nos pensées. Tant que vous serez fidèles à cette conduite, ne craignez pas; la perfection de cette maison, grâce à Dieu, ne tombera pas. Comme le disait sainte Claire, ce sont de fortes murailles que celles de la pauvreté; c'est de ces murailles et de celles de l'humilité qu'elle voulait voir ses monastères entourés. Certes, si la pauvreté est bien pratiquée, elle sera une meilleure sauvegarde pour l'honneur du monastère et tout le reste que de somptueux édifices. N'en bâtissez jamais de tels, je vous le demande pour l'amour de Dieu et par le sang de son Fils; et si je puis le dire en bonne conscience, je souhaite qu'ils s'écroulent le jour même où ils seront achevés. Il est scandaleux, mes filles, de bâtir de grandes maisons avec le bien des pauvres. Plaise à Dieu de ne pas le permettre ! Que votre demeure soit petite et pauvre en tout. Imitons notre Roi en quelque chose : il n'a eu que l'étable de Bethléem où il est né, et la Croix où il est mort. C'étaient là des demeures où il y avait peu de jouissance ! Ceux qui bâtissent de vastes maisons auront des motifs pour

agir de la sorte; leurs intentions seront saintes. Mais
pour treize pauvres petites religieuses, le moindre
coin suffit. Que vous ayez un jardin, rendu nécessaire
par la clôture rigoureuse où vous vivez, et même,
pour favoriser l'oraison et la dévotion, quelques
petits ermitages où vous puissiez vous retirer pour
prier, parfait; mais de vastes édifices, des demeures
spacieuses, des ornements superflus, Dieu nous en
préserve ! N'oubliez jamais que tout doit tomber au
jour du jugement; et savons-nous si ce jour n'est pas
proche ? Or il ne convient pas que la maison de treize
pauvres petites religieuses fasse beaucoup de bruit en
tombant. Les vrais pauvres n'en doivent point faire;
ils doivent vivre sans bruit pour attirer la compassion.

Quelle ne serait pas votre joie, si vous voyiez quelqu'un préservé de l'enfer, à cause d'une aumône qu'il
vous aurait faite ? Car tout est possible; vous êtes
d'ailleurs grandement obligées de prier pour vos
bienfaiteurs d'une manière constante, puisqu'ils vous
donnent de quoi vivre. Bien que tout nous vienne de
la main du Seigneur, il veut cependant que nous soyons
reconnaissants envers les personnes par l'intermédiaire
desquelles il nous soutient. Veillez donc à ne jamais
négliger cette obligation.

Je ne sais plus ce que j'avais commencé à vous dire,
car je me suis bien éloignée de mon sujet. Sans doute,
le Seigneur l'a voulu ainsi; car jamais je n'avais songé
à écrire ce que je viens de marquer ici. Plaise à Sa Majesté de nous soutenir toujours de sa main, afin que
cette perfection de la pauvreté ne vienne point à
déchoir parmi nous ! Ainsi soit-il !

CHAPITRE III

Ce chapitre continue le sujet commencé
au chapitre premier, et exhorte les Sœurs à prier
toujours Dieu de secourir ceux qui défendent
son Église : il se termine par une exclamation.

Je reviens au but principal pour lequel Notre-Seigneur nous a réunies dans cette maison. Mon désir
ardent est que nous soyons toujours quelque peu en
état de contenter sa divine Majesté. Je vois de très
grands maux, et les forces humaines sont impuissantes
à éteindre cet incendie allumé par les hérétiques qui
prend de si vastes proportions. Il m'a donc semblé
nécessaire de nous conformer à ce qui se pratique en
temps de guerre. Lorsque l'ennemi a ravagé entièrement le pays, le seigneur de la région, qui se voit pressé
de toutes parts, se retire dans une ville qu'il fait fortifier avec soin; de là il fond de temps en temps sur
l'ennemi; ceux qu'il mène au combat, étant tous des
soldats d'élite, le secondent mieux que des soldats plus
nombreux mais lâches. De cette sorte, on gagne souvent la victoire; si on ne la gagne pas, du moins n'est-
on pas vaincu; et pourvu qu'il ne se rencontre pas
de traître, on ne succombera que devant la famine.
Ici, il n'y a pas à redouter de famine qui nous oblige
à nous rendre. Nous pouvons mourir, oui; être vain-
cus, jamais. Pourquoi vous dis-je tout cela ? Pour que
vous compreniez bien, mes sœurs, ce que nous devons
demander à Dieu. Supplions-le pour que, dans cette
petite place forte où se sont retranchés de vaillants
chrétiens, nous n'en voyions pas un seul passer à
l'ennemi, pour qu'il comble de grâces les capitaines
de cette ville ou place forte, c'est-à-dire les prédicateurs et les théologiens; et comme la plupart d'entre

eux appartiennent aux ordres religieux, qu'il les élève très haut dans la perfection de leur état. C'est là une chose très nécessaire; car, ainsi que je l'ai dit, nous serons sauvés par le bras ecclésiastique, et non par le bras séculier. Or, nous ne pouvons rien sous ce double rapport pour secourir notre Roi. Travaillons, du moins, à être telles que nos prières puissent aider ces serviteurs de Dieu. C'est au prix de pénibles efforts qu'ils se sont fortifiés par la science, la vertu et les épreuves, pour venir aujourd'hui en aide au Seigneur.

Vous vous demanderez peut-être pourquoi j'insiste tant sur ce point, et pourquoi il faut secourir ceux qui sont meilleurs que nous. Je vais vous le dire. Vous ne comprenez pas bien encore, ce me semble, la grandeur du bienfait que Dieu vous a accordé, lorsqu'il vous a amenées dans une demeure où vous êtes si bien à l'abri des soucis temporels, des occasions dangereuses et du commerce du monde; or c'est là une grâce très élevée; et ceux dont je parle n'en jouissent pas; cela même leur convient aujourd'hui moins que jamais. Ce sont eux qui doivent soutenir les faibles et donner du courage aux petits. Que deviendraient les soldats sans leurs capitaines? Ceux-ci doivent donc vivre parmi les hommes, converser avec les hommes, paraître dans les palais et parfois même se faire extérieurement semblables à tous.

Pensez-vous, mes filles, qu'il faille peu de vertu pour traiter avec le monde, vivre au milieu du monde, s'occuper des affaires du monde, s'adapter, ainsi que je l'ai dit, à la conversation du monde, et demeurer intérieurement étranger au monde, ennemi du monde, se conduire comme si l'on vivait au fond d'un désert, enfin pour être des anges bien plus que des hommes! Car s'il en est autrement, ils ne méritent assurément pas le nom de capitaines; que Dieu, alors, ne leur permette pas de sortir de leurs cellules! Ils feraient plus de mal que de bien. Car notre époque interdit, à ceux qui sont chargés de donner l'exemple, de laisser paraître aucune imperfection. Si leur vertu n'est pas ferme, s'ils ne comprennent pas combien ils sont

obligés de fouler aux pieds tous les biens de la terre,
s'ils ne sont pas détachés des choses périssables, et
appliqués aux choses éternelles, leurs faiblesses trans-
pireront, quoi qu'ils fassent pour les dissimuler. Avec
qui traitent-ils d'ailleurs ? N'est-ce pas avec le monde ?
Or, il n'y a pas de danger que le monde leur fasse grâce
de quoi que ce soit, ni que la moindre imperfection
lui échappe. De bonnes actions, il en est beaucoup
dont il ne s'apercevra même pas, peut-être même les
jugera-t-il mauvaises; mais les fautes et les imperfections — pour cela, n'ayez crainte. Je me demande
en ce moment avec stupeur qui a pu donner l'idée de
la perfection au monde. S'il use de cette connaissance,
ce n'est pas pour garder lui-même la perfection; il
ne s'y croit nullement obligé; et il s'imagine que
c'est beaucoup pour lui de se conformer à peu près
aux commandements de Dieu. Mais il s'en sert pour
condamner les autres; et parfois il condamne comme
une satisfaction personnelle ce qui est vertu chez eux.
N'allez donc pas croire que ces hommes dont nous
parlons n'aient besoin que d'un faible secours de Dieu
pour soutenir la lutte redoutable dans laquelle ils
sont engagés; une grâce abondante, au contraire,
leur est nécessaire.

Je vous demande donc de travailler à mériter par
nos vertus que Dieu nous accorde ces deux choses :
la première, que, parmi le grand nombre de personnages
très savants et religieux que nous avons, il y en ait
beaucoup qui possèdent, comme je l'ai dit, les qualités
requises pour cette lutte, et que le Seigneur donne
ces qualités à ceux qui ne les ont pas encore complètement; un seul homme parfait sera plus utile que beaucoup d'autres médiocres. La seconde, que ces hommes,
une fois engagés dans la mêlée qui, je le répète, n'est
pas petite, soient soutenus par Dieu afin de se garder
des dangers du monde et traversent cette mer orageuse,
l'oreille fermée au chant des sirènes. Si, pour atteindre
ce but, nous pouvons quelque chose auprès de Dieu,
combattons, pour lui, toutes cloîtrées que nous sommes;
et je trouverai fort bien employées toutes les épreuves

que j'ai endurées pour fonder cette petite retraite [1],
où j'ai voulu que l'on gardât aussi dans toute sa
perfection primitive la règle de Notre Dame et Souveraine.

Ne vous imaginez pas qu'il soit inutile de prier
constamment dans ce but ; car il y a des personnes à
qui il semble dur de ne pas prier beaucoup pour elles-
mêmes. Et quelle meilleure prière peut-il y avoir que
celle dont je parle ? Vous éprouverez peut-être de
la peine à la pensée qu'elle ne servira point à diminuer
les souffrances qui vous attendent en purgatoire;
tranquillisez-vous : elle a aussi cette efficacité. Mais
après tout, s'il vous reste encore quelque chose à
expier, qu'importe ? Que me fait à moi de rester jusqu'au jour du jugement en purgatoire, si par mes
prières je sauve une seule âme, si surtout je procure
l'avancement spirituel d'un grand nombre, et la gloire
de Dieu ? Méprisez les peines qui passent, dès lors
qu'il s'agit de procurer quelque gloire à Celui qui a
tant souffert pour nous. Prenez toujours des conseils
pour savoir ce qu'il y a de plus parfait.

Je vous demande de supplier Sa Majesté (et moi-
même, quoique si misérable, je l'en supplie avec vous)
de nous exaucer dans tout ce que je viens de dire,
car tous mes désirs ne tendent qu'à sa gloire et au bien
de son Église.

Il semble bien osé de ma part de m'imaginer que
je puisse contribuer à obtenir ce résultat. Mais, ô mon
Dieu, je me confie en vos fidèles servantes que je vois
réunies ici. Je sais que tous leurs désirs et toute leur
ambition est de vous contenter. Par amour pour vous,
elles ont abandonné le peu qu'elles avaient; elles
auraient voulu avoir de plus grands biens pour vous
les sacrifier. Vous n'êtes pas un ingrat, ô mon Créateur : aussi ne puis-je croire que vous accorderez moins
qu'on ne vous demande, mais, au contraire, beaucoup
plus. Lorsque vous êtes passé sur la terre, vous n'avez
point, ô Seigneur, abhorré les femmes; vous les avez,

---

1. Le monastère de Saint-Joseph d'Avila.

au contraire, toujours traitées avec beaucoup de compassion. Lorsque nous vous demanderons des honneurs, des rentes, des richesses ou des avantages qui sentent le monde, ne nous écoutez point. Mais lorsque nos prières auront pour but l'honneur de votre Fils, pourquoi, ô Père éternel, n'exauceriez-vous pas celles qui vous sacrifieraient volontiers mille honneurs et mille vies ? Daignez nous écouter, Seigneur, non à cause de nous, car nous ne le méritons pas, mais à cause du sang et des mérites de votre Fils.

O Père Éternel, tous les coups, toutes les injures et tous les terribles tourments qu'il a soufferts en si grand nombre ne doivent point être oubliés ! Comment donc, ô mon Créateur, des entrailles si pleines d'amour que les vôtres peuvent-elles supporter que ce que votre Fils a réalisé avec tant d'amour, pour vous contenter davantage et accomplir l'ordre que vous lui aviez donné de nous aimer, soit tant dédaigné de nos jours ? Ne voyez-vous pas ces malheureux hérétiques outrager le Saint-Sacrement, lui enlever ses tabernacles et démolir les églises ? Votre Fils a-t-il donc manqué à quelque chose de ce qu'il fallait pour vous contenter ? Mais il a tout fait avec perfection. N'était-ce donc pas assez, ô Père Éternel, qu'il n'eût pas durant sa vie terrestre où reposer sa tête, qu'il fût toujours accablé de souffrances ? Faut-il encore qu'on le prive aujourd'hui de ces demeures où il convie ses amis, parce qu'il connaît leur fragilité et sait qu'au milieu de leurs épreuves ils ont besoin de se fortifier par le céleste aliment qu'il leur donne ? N'avait-il donc pas surabondamment satisfait pour le péché d'Adam ? Chaque fois que nous retombons dans le péché, ce très aimant Agneau doit-il donc encore payer pour nous ? Ne le permettez pas, ô mon Souverain Maître ! Que Votre Majesté s'apaise ! Détournez vos regards de nos péchés, et considérez que votre Fils Bien-Aimé nous a rachetés, souvenez-vous de ses mérites, de ceux de sa glorieuse Mère, ainsi que de ceux de tant de saints et de martyrs qui sont morts pour vous.

Hélas ! Seigneur, comment ai-je osé vous adresser

cette supplique au nom de toutes mes Sœurs ! Quelle
mauvaise médiatrice vous avez en moi, mes filles,
pour présenter votre demande et obtenir que vous
soyez exaucées ! Notre Seigneur Juge ne s'indignera
que davantage de me voir si téméraire — et comme
il aura raison ! Mais considérez, Seigneur, que vous êtes
désormais le Dieu de miséricorde ; répandez votre miséricorde sur cette pauvre pécheresse, sur ce misérable
ver de terre qui se laisse aller à tant d'audace devant
vous. Voyez, ô mon Dieu, mes désirs et les larmes
qui accompagnent ma supplique. Oubliez mes œuvres,
je vous en conjure au nom de votre Bonté ; ayez pitié
de tant d'âmes qui se perdent et venez au secours de
votre Église. Ne permettez plus, Seigneur, de tels maux
dans la chrétienté et que votre lumière vienne dissiper
ces ténèbres !

Pour l'amour de Dieu, mes Sœurs, je vous supplie
de recommander à Sa Majesté cette pauvre petit pécheresse, pour qu'il lui accorde l'humilité. Je vous adresse
cette requête comme une chose à laquelle vous êtes
obligées. Je ne vous charge pas de prier spécialement
pour les rois, les prélats de l'Église et surtout pour
notre évêque [1] ; je vous vois, vous les religieuses
d'aujourd'hui, si soucieuses de le faire que, semble-t-il,
je ne puis désirer rien de plus. Mais je souhaite que les
Sœurs qui viendront après nous comprennent que si
elles ont un supérieur saint, elles seront saintes également. C'est là une chose tellement importante qu'elles
ne devront jamais cesser de la représenter au Seigneur.

Le jour où vos prières, vos désirs, vos disciplines,
vos jeûnes, ne tendraient pas à la fin dont je viens de
parler, sachez que vous n'accomplissez ni ne respectez
le but pour lequel le Seigneur vous a réunies ici.

---

1. Don Alvaro de Mendoza, évêque d'Avila. La copie de Tolède
ajoute : *pour cet Ordre de la Très Sainte Vierge et les autres.*

CHAPITRE IV

*Ce chapitre exhorte à garder la règle et parle
de trois choses importantes pour
la vie spirituelle.*

Vous venez de voir, mes filles, la grandeur du but
que nous devons atteindre. Mais que ne devons-nous
pas être, si nous voulons ne point passer pour très
téméraires aux yeux de Dieu et du monde ? Il nous
faudra évidemment travailler beaucoup. Un secours
puissant pour nous sera de tenir très haut nos pensées,
afin que nous nous efforcions d'élever aussi nos œuvres.
Eh bien, si nous veillons à garder exactement notre
Règle et nos Constitutions, j'espère que Dieu, dans sa
bonté, exaucera nos prières. Je ne vous demande rien
de nouveau, mes filles : nous devons simplement res-
pecter nos vœux et notre vocation, quoiqu'il y ait
de grandes différences dans la manière d'y être fidèle.

La Règle primitive de notre Ordre dit que nous
devons prier sans cesse. Ne négligeons rien pour remplir ce devoir, le plus important de tous, et nous obser-
verons les jeûnes, les disciplines et le silence que
l'Ordre demande de nous ; car, vous ne l'ignorez pas,
l'oraison, pour être véritable, doit être aidée de toutes
ces pratiques ; d'ailleurs la mollesse et l'oraison ne vont
pas ensemble.

C'est de l'oraison que vous m'avez priée de vous
parler quelque peu ; mais je vous demande, en retour
de ce que je dirai, de mettre en pratique et de relire
souvent de bon cœur ce que j'ai exposé jusqu'ici.

Avant de parler de l'intérieur, c'est-à-dire de l'oraison elle-même, je veux signaler certaines choses qui
sont nécessaires à ceux qui marchent par ce chemin de
l'oraison ; elles sont même tellement nécessaires, que
l'on peut être avec elles très avancé dans le service de
Dieu, sans être contemplatif ; d'un autre côté, si on

ne les possède pas, on ne saurait être très contemplatif, et croire qu'on l'est cependant; en quoi l'on se trompe- rait complètement. Dieu veuille m'assister et m'ensei- gner ce que je dois dire, afin que cet écrit serve à sa gloire ! Ainsi soit-il !

Ne vous imaginez pas, mes amies et mes sœurs, que les choses dont je vous recommande la pratique sont nombreuses. Plaise au Seigneur que nous accomplis- sions bien ce que nos saints pères ont prescrit et gardé; c'est par ce chemin qu'ils ont mérité ce nom de Saints; n'en cherchons point d'autre, ni par nous- mêmes ni par les conseils de personne; nous nous égarerions.

Mon but est de vous exposer seulement trois points de la Constitution elle-même. Il importe beaucoup que nous comprenions l'étroite obligation où nous sommes de nous y conformer, pour posséder la paix intérieure et extérieure dont Notre-Seigneur nous a fait une recommandation si pressante. La première, c'est l'amour que nous devons avoir les unes pour les autres; la seconde, le détachement de toutes les créa- tures; la troisième, la véritable humilité, vertu qui, bien que nommée la dernière, est cependant la princi- pale et embrasse toutes les autres.

CHAPITRE V

Ce chapitre expose la première de ces trois choses,
à savoir : l'amour du prochain et le danger
des amitiés particulières.

L'amour profond que nous devons avoir les unes pour les autres, et dont je parle en premier lieu, est chose très importante. Il n'y a rien de si difficile à sup- porter qui ne devienne facile à ceux qui s'aiment; il faudrait que ce fût bien pénible pour leur causer de l'ennui. Si ce commandement de la charité était observé dans le monde comme il doit l'être, il serait, à mon avis, d'un secours puissant pour observer les autres. Mais, par défaut ou par excès, on n'arrive jamais à accomplir ce précepte dans toute sa perfection.

A première vue, l'excès ne semble pas devoir en être mauvais parmi nous; et cependant il engendre tant de maux et tant d'imperfections, que personne, à mon avis, ne le croira, s'il n'en a été témoin par lui-même. Le démon tend par là toutes sortes de pièges, que les consciences peu exigeantes dans leur façon de servir Dieu perçoivent mal, les prenant même pour des actes de vertu. Mais celles qui tendent à la perfection s'en rendent parfaitement compte, car ils affaiblissent peu à peu la volonté et l'empêchent de s'employer tout entière à aimer Dieu. Pour moi, je crois que ce défaut se rencontre plus fréquemment chez les femmes que chez les hommes. Il porte des préjudices très considérables à une communauté. De là vient que toutes les Sœurs ne s'aiment pas toutes également; on est sensible à l'humiliation faite à une amie; on désire avoir quelque chose pour le lui donner; on cherche l'occasion de lui parler, et souvent c'est pour lui dire qu'on l'aime et lui exprimer des banalités, plutôt que pour lui parler de l'amour qu'on a pour Dieu. Il est rare, en effet, que ces grandes amitiés aient pour but de nous entraider à aimer Dieu davantage. Je crois, au contraire, qu'elles sont suscitées par le démon pour créer des partis dans les familles religieuses.

Lorsque l'amour mutuel des sœurs tend à la gloire de Sa Majesté, on le voit promptement; leur affection n'est pas guidée alors par la passion; elles cherchent une aide pour vaincre les autres passions. Je voudrais que les amitiés de cette sorte fussent nombreuses dans les grands monastères; mais dans cette maison où nous ne sommes et ne devons être que treize, toutes les sœurs doivent être amies, toutes doivent s'aimer, se chérir et s'entraider. Pour l'amour de Dieu, qu'elles se gardent bien de ces amitiés particulières, si saintes qu'elles soient. Des amitiés de cette sorte produisent ordinairement l'effet d'un poison, même entre frères. Pour moi, je n'y vois aucun avantage; mais ces religieux sont-ils unis par les liens du sang; c'est pire encore : c'est une peste. Croyez-moi, mes sœurs, la conduite à tenir dont je parle peut vous paraître exagérée; et cependant, elle renferme une haute perfection et une paix profonde. Elle délivre d'une foule de dangers les âmes qui ne sont pas très assises dans la vertu. Le cœur peut se sentir plus porté vers une Sœur que vers une autre; il ne peut en être autrement; c'est là un mouvement naturel qui nous incline très souvent à aimer la plus imparfaite, si elle est mieux douée du côté de la nature; mais alors résistons fortement à cette affection, et ne nous laissons point dominer par elle. Aimons les vertus et les qualités intérieures de cette Sœur; et veillons toujours soigneusement à ne jamais faire cas de ses qualités extérieures. Ne consentons point, mes sœurs, à laisser notre cœur devenir l'esclave de personne, si ce n'est de Celui qui l'a racheté de son sang; car, sachez-le, vous vous trouveriez engagées, sans savoir comment, dans des liens dont vous ne pourriez vous défaire. O grand Dieu, qu'elles sont innombrables, à mon avis, les petitesses qui naissent de ces amitiés particulières ! Elles sont tellement puériles qu'il faut en avoir été témoin pour le comprendre et le croire; aussi, il n'y a pas de motif d'en parler. Il est certain cependant que si cela est un mal chez toute personne, c'est une peste chez la Supérieure.

Il faut apporter un grand soin à faire disparaître ces amitiés particulières dès qu'elles commencent à se manifester; mais ce travail demande plus d'adresse et d'amour que de rigueur. Un bon remède, c'est que les sœurs ne soient ensemble et ne parlent entre elles qu'aux heures marquées, comme nous le pratiquons maintenant. La Règle d'ailleurs nous prescrit de ne pas être ensemble, mais de demeurer chacune dans notre cellule. Qu'il n'y ait donc point dans ce monastère de Saint-Joseph de salle commune de travail. Bien que ce soit là une coutume louable, le silence est mieux gardé quand chaque sœur se tient chez soi.

Par là on s'habitue à la solitude qui facilite au plus haut point l'oraison; or, l'oraison devant être comme le ciment de cette maison, nous devons rechercher spécialement ce qui peut le mieux en favoriser la pratique.

Je reviens à l'amour que nous devons avoir les unes pour les autres. Il vous semblera hors de propos de vous le recommander. Quels sont les individus, quelque barbares qu'ils soient, qui ne s'aimeraient s'ils devaient comme vous vivre toujours ensemble, dans la même compagnie, sans pouvoir parler ou avoir des relations et se récréer avec les personnes du dehors ? N'en serait-il pas ainsi de vous qui croyez que Dieu vous aime, et que vos sœurs l'aiment, puisqu'elles ont tout quitté par amour pour Sa Majesté ? De plus la vertu n'attire-t-elle pas toujours à soi l'amour ? Aussi j'espère de la miséricorde de Dieu qu'elle sera toujours pratiquée par les sœurs de ce monastère.

Il semble donc que je n'aie pas à insister beaucoup sur ce point. Mais que doit être cet amour mutuel ? Qu'est-ce que l'amour vertueux que je veux voir régner parmi vous ? A quel signe reconnaîtrons-nous que nous possédons cette vertu, dont l'importance est telle que Notre-Seigneur l'a recommandée instamment à tous, et en particulier à ses apôtres ? Voilà ce que je voudrais vous dire brièvement d'après mes faibles moyens. Si vous le trouvez mieux expliqué en d'autres livres, ne vous arrêtez point à ce que j'en exposerai; car peut-être je ne sais ce que je dis.

Je veux parler de deux sortes d'amour : l'un qui est tout spirituel semble n'avoir aucun lien avec la sensualité ou la tendresse naturelle et ne rien perdre de sa pureté; l'autre qui est spirituel aussi, mais où notre sensualité et notre faiblesse ont leur part; cet amour paraît bon et licite, comme celui que l'on a pour les parents ou amis et dont j'ai déjà parlé.

Je veux vous entretenir maintenant de l'amour spirituel, où la passion n'a aucune part; car dès que la passion s'y mêle, toute l'harmonie qui pouvait exister est détruite; mais s'il suit la modération et la prudence lorsque nous traitons avec les personnes vertueuses, et en particulier les confesseurs, il est très utile. Cependant, si l'on découvre dans le confesseur quelque tendance vaine, que l'on regarde tout comme suspect, que l'on n'ait avec lui aucune conversation, quelque sainte qu'elle soit, que l'on se confesse en peu de mots et que l'on se retire. Le mieux est alors de prévenir la prieure que notre âme ne se trouve pas bien de ce confesseur et de le changer; tel est le parti le plus sage, lorsqu'on peut le suivre sans blesser sa réputation.

Dans ce cas et dans d'autres difficultés où le démon pourrait nous tendre ses pièges, lorsqu'on ne sait quel conseil prendre, le plus sage est de parler à un homme instruit (ce qui ne sera pas refusé, quand il y a nécessité), de se confesser à lui et de suivre ses avis; car lorsqu'il s'agit de prendre une détermination, on peut se tromper beaucoup. Que d'erreurs ne commet-on pas dans le monde, parce que l'on ne demande pas conseil pour agir, surtout lorsque la réputation du prochain est en jeu? Chercher un remède est donc absolument nécessaire. Lorsque le démon en effet commence à nous attaquer de ce côté, ce n'est pas pour peu de chose, à moins qu'on ne l'arrête au plus tôt. Aussi, le mieux, je le répète, est de parler à un autre confesseur, lorsqu'on le peut; et j'espère de la bonté de Dieu que vous le pourrez toujours.

L'avis que je vous donne est très important. Cette vanité dans un confesseur est très dangereuse; c'est un enfer, une ruine pour toutes les sœurs. N'attendez donc pas, je vous en prie, que le mal soit considérable; conjurez-le dès le début par toutes les voies possibles; employez tous les moyens que la bonne conscience vous dictera.

Néanmoins le Seigneur ne permettra pas dans sa bonté, je l'espère, que des religieuses appelées à une oraison continuelle puissent porter de l'attachement à un confesseur qui ne soit pas un grand serviteur de Dieu. Cela est certain, ou bien il faut croire qu'elles ne sont pas des âmes d'oraison et ne recherchent pas la perfection à laquelle on doit tendre dans ce monastère. Quand elles verront qu'il ne comprend pas leur langage, et qu'il n'est pas porté à parler de Dieu, elles ne pourront l'aimer; il ne leur ressemble pas. S'il leur ressemble, vu le peu d'occasions qui se présenteront, ou il sera bien simple, ou il ne voudra ni s'en troubler, ni troubler les servantes de Dieu.

Puisque j'ai commencé à parler de ce sujet, j'ajoute que le dommage que le démon peut causer ici est considérable. On ne le découvre que très tard; et voilà pourquoi la perfection peut disparaître d'un monastère sans qu'on en connaisse la cause. Si le confesseur veut communiquer la vanité à laquelle il s'adonne lui-même, il regarde tout comme des riens, même chez les autres. Que Dieu dans son infinie bonté nous délivre de choses semblables ! Cela seul suffirait à troubler toutes les sœurs; car leur conscience leur dit le contraire de ce que dit le confesseur; si on les oblige à n'en avoir qu'un seul, elles ne savent que faire, ni comment recouvrer la paix. Celui qui devrait leur donner le remède et les tranquilliser est celui-là même qui les trouble.

Il doit y avoir dans certains endroits de grandes afflictions de ce genre, et j'en suis vraiment touchée de compassion. Aussi, ne vous étonnez pas si j'insiste tant pour vous faire comprendre ce danger.

CHAPITRE VI

Ce chapitre continue la question des confesseurs,
et expose combien il importe qu'ils
soient instruits.

Daigne le Seigneur, dans son infinie bonté, ne laisser aucune sœur de cette maison tomber dans les angoisses de l'âme et du corps, dont je viens de parler ! Supposez une Supérieure qui a un attachement trop naturel pour le confesseur; les sœurs n'osent rien dire au con-

fesseur de ce qui concerne la Supérieure, ni à celle-ci de
ce qui touche le confesseur. Elles ont alors la tentation
de ne point confesser des péchés très graves, dans la
crainte d'être molestées. O grand Dieu, quel préjudice
peut alors causer le démon : que cette contrainte et
ce faux point d'honneur coûtent cher aux sœurs !
En n'ayant qu'un seul confesseur, on s'imagine res-
pecter hautement la discipline et faire l'honneur du
monastère. Mais le démon se sert de ce moyen pour
prendre les âmes dans ses filets, lorsqu'il n'y peut
réussir par d'autres pièges. Si les sœurs demandent un
autre confesseur, on s'imagine aussitôt que toute la
discipline religieuse est perdue. Si elles demandent un
confesseur étranger à l'Ordre, fût-il un saint, et ne
serait-ce que pour un simple entretien, il semble que
l'on fait un affront à la Communauté.

Je supplie pour l'amour de Dieu celle qui sera Supérieure de veiller toujours à assurer cette sainte liberté
de s'ouvrir à d'autres qu'aux confesseurs ordinaires.
Elle s'entendra avec l'évêque ou le provincial pour
qu'elle puisse de temps en temps, ainsi que ses filles,
traiter des affaires de l'âme avec des hommes instruits,
surtout si les confesseurs ordinaires ne le sont pas,
malgré leur vertu. La science est chose très importante
pour donner lumière en tout. Il est possible, par ailleurs,
que vous trouviez les deux qualités réunies dans la
même personne. Plus les faveurs que le Seigneur vous
accordera dans l'oraison seront élevées, plus il sera
nécessaire que vos œuvres et votre oraison reposent
sur un fondement solide.

La première pierre de ce fondement, vous le savez
déjà, doit être une bonne conscience; vous devez ne
rien négliger pour vous délivrer même des péchés
véniels et aspirer au plus parfait. Il vous semblera
que tout confesseur sait cela; c'est une erreur. Il m'est
arrivé de traiter des affaires de l'âme avec l'un d'entre
eux qui avait suivi tout son cours de théologie, et qui
me fit un très grand tort en me déclarant que certaines
choses n'étaient rien. Évidemment il ne voulait pas
me tromper; il n'avait aucun motif pour cela; mais

il n'en savait pas davantage. La même chose m'est
arrivée avec deux ou trois autres.

La vraie lumière dont nous avons besoin pour
garder parfaitement la loi de Dieu constitue tout notre
bien. Elle est la base solide de l'oraison; l'édifice porte
à faux s'il n'a pas ce fondement, et si l'on ne vous donne
pas la liberté de vous confesser à des hommes tels
que je l'ai dit plus haut et de traiter avec eux des affaires
de l'âme. J'ose dire plus : alors même que le confesseur
ordinaire aurait toutes ces qualités, vous devriez encore
vous adresser à un autre de temps en temps; car il
peut se tromper et il est bon qu'il ne vous tienne pas
toutes dans l'illusion. Veillez cependant en tout
cela à ne jamais aller contre l'obéissance. On peut trouver des moyens légitimes pour tout. Les âmes ont le
plus grand intérêt à jouir de cette liberté; voilà pourquoi la Supérieure ne doit rien négliger pour la leur
procurer.

Tout ce que je viens de dire s'adresse spécialement
à la Supérieure, aussi je lui renouvelle ma supplique :
Puisque les Sœurs de ce monastère ne recherchent
d'autre consolation que celle de l'âme, elle tâchera de
la leur procurer. Les voies par lesquelles Dieu conduit
les âmes sont différentes, et un seul confesseur n'est
pas obligé de les connaître toutes. Je vous assure que
malgré votre pauvreté, vous ne manquerez pas de
personnages vraiment saints avec qui vous traiterez
de votre intérieur et près de qui vous trouverez de la
consolation, si vous êtes telles que vous devez être.
Celui qui soutient vos corps suscitera quelqu'un et
lui inspirera le désir sincère d'éclairer vos âmes. Il
remédiera ainsi au mal que je redoute tant. Le confesseur pourrait tomber dans les pièges du démon et
se tromper sur un point de doctrine; mais s'il sait que
vous traitez de votre âme avec d'autres, il apportera
plus de soin à tout ce qu'il fera et sera plus circons-
pect.

Cette porte une fois fermée au démon, j'espère de
la bonté de Dieu qu'il n'entrera point dans ce monastère. Je demande donc, pour l'amour de Notre-Sei-

gneur, à l'évêque de cette ville qui sera votre Supérieur, de laisser aux Sœurs cette liberté, de ne point vous l'enlever, lorsqu'il y aura des confesseurs à la fois instruits et vertueux, ce que l'on sait promptement dans une ville aussi petite que celle où nous sommes.

Ce que je viens de dire, je le sais par ma propre expérience et par celle des autres. J'en ai parlé, en outre, à des personnages instruits et saints; ils ont examiné ce qui convenait le mieux pour la plus grande perfection des sœurs de cette maison. Or, nous avons trouvé que s'il se rencontre en tout des dangers dans cette vie, le moindre est celui qui résulte de la liberté dont je parle. Nous avons pensé également que le vicaire ne devait jamais entrer à sa guise dans le monastère, et que le confesseur n'aurait pas non plus cette liberté; que leur mission était de veiller au recueillement et à la bonne renommée de la maison, comme aussi au progrès intérieur et extérieur des sœurs; que s'ils remarquaient quelques fautes, ils en préviendraient le Supérieur, mais qu'ils n'exerceraient pas eux-mêmes cette charge. Voilà ce qui se pratique à présent; et ce n'est pas seulement ma manière de voir que l'on suit en cela, mais encore celle de l'évêque actuel sous l'obédience de qui nous nous sommes placées, pour bien des motifs, et non sous celle de l'Ordre. C'est en effet un personnage de beaucoup de piété et de sainteté; en un mot un grand serviteur de Dieu. Il s'appelle don Alvaro de Mendoza, et descend d'une noblesse illustre. Comme il a à cœur tout ce qui peut favoriser cette maison, il a réuni des personnes qui possédaient non seulement la science et la vertu, mais encore l'expérience, et on a fixé les divers points que je viens de marquer.

Il sera bon que les prélats qui se succéderont se conforment à cette détermination, puisque des gens si vertueux l'ont approuvée et qu'on a tant supplié le Seigneur de nous montrer la meilleure conduite à tenir. Ce que l'on a vu jusqu'à présent prouve, en effet, que cette mesure est préférable à toute autre. Plaise

au Seigneur de la maintenir toujours, puisqu'il s'agit
de sa plus grande gloire ! Ainsi soit-il !

CHAPITRE VII

*Ce chapitre revient à l'amour parfait dont
on avait commencé à parler.*

Je me suis bien écartée de mon sujet; mais ce que
j'ai dit est tellement important que, si on en a l'intelligence, on ne me blâmera pas.

Revenons à l'amour qu'il est louable d'avoir les
unes pour les autres, je veux dire, à l'amour purement
spirituel. Je ne sais si je le comprends bien; du moins
je ne crois pas nécessaire de vous en parler longuement,
car il est le partage du petit nombre. L'âme à qui
Notre-Seigneur en fait don est grandement obligée
de le remercier, car ce doit être là le signe d'une très
haute perfection. Je vais donc en dire quelques mots,
avec l'espoir que ce sera peut-être de quelque utilité.
Quiconque d'ailleurs désire la vertu et prétend l'acquérir se porte vers elle lorsqu'on la lui met sous les yeux.
Plaise à Dieu que je comprenne cet amour et surtout
que je sache en parler !

Il me semble que je ne comprends pas quand l'amour
est purement spirituel, ni quand il s'y mêle du sensible;
et je me demande comment j'ose traiter ce sujet. Je
suis comme une personne qui entend parler au loin
et qui ne perçoit pas distinctement le sens des paroles.
Sans doute, il doit m'arriver parfois de ne pas comprendre ce que je dis, et le Seigneur veut cependant
que ce soit bien dit. Si, en d'autres circonstances, mes
paroles sont hors de propos, il ne faut point s'en étonner. Ce qu'il y a pour moi de plus naturel, c'est de ne
réussir en rien.

Voici maintenant ce qu'il me semble. Lorsque Dieu
montre clairement à une âme ce qu'est le monde et

le peu qu'il vaut, ainsi que l'existence d'un autre
monde, la différence qu'il y a entre les deux, l'éternité
de l'un, le songe rapide de l'autre; lorsqu'il lui dévoile
ce que c'est que d'aimer le Créateur, ou la créature;
lorsque l'âme connaît cela, non seulement par son
intelligence ou par la foi, mais par son expérience, ce
qui est bien différent; lorsqu'elle voit et éprouve ce
qu'elle gagne à aimer le Créateur, ce qu'elle perd à
aimer la créature, ce qu'est l'un, ce qu'est l'autre;
lorsqu'elle voit encore beaucoup d'autres vérités que
le Seigneur enseigne à ceux qui s'abandonnent à sa
conduite dans l'oraison ou qu'il daigne instruire,
alors elle aime d'une manière beaucoup plus parfaite
que ceux qui ne sont pas élevés à cet état.

Il vous paraîtra peut-être superflu, mes Sœurs,
de vous entretenir de ce sujet; vous me direz toutes
que vous savez déjà cela. Plaise au Seigneur qu'il
en soit ainsi ! Que cette connaissance soit exacte et
profondément imprimée dans votre cœur ! Or, si
vous savez cela, vous devez reconnaître que je ne
mens pas, quand j'avance que l'âme éclairée de la
sorte par Dieu possède un amour purement spirituel.
Les âmes que Dieu élève à cet état sont des âmes généreuses, des âmes royales. Elles ne mettent point leur
bonheur à aimer quelque chose d'aussi misérable que
nos corps, dont la beauté et la grâce, cependant,
peuvent bien plaire à leurs yeux, et dont elles loueront le
Créateur. Mais s'y arrêter, sans passer outre à ce
premier mouvement de les aimer pour ces seules qualités — cela, non. Il leur semblerait ainsi s'attacher à des
choses sans poids et chérir une ombre; elles auraient
honte d'elles-mêmes et n'oseraient pas, sans être
remplies de confusion, dire à Dieu qu'elles l'aiment.

Mais, me direz-vous, ces personnes ne sauront pas
aimer ni payer de retour l'amour qu'on leur porte.
Du moins, vous répondrai-je, il leur importe peu qu'on
les aime. Si parfois il leur arrive, par un premier mouvement naturel, de se réjouir de l'affection qu'on leur
porte, elles reconnaissent, aussitôt rentrées en elles-
mêmes, que c'est là une folie. Ce sentiment n'a pas

lieu, lorsqu'il s'agit de personnages qui peuvent les aider par leur science et leur oraison. Toute autre affection les fatigue : elles comprennent qu'elles n'en tireront aucun profit, et pourraient en recevoir de graves dommages. Elles ne laissent pas toutefois d'avoir de la reconnaissance pour eux et les payent de retour en les recommandant à Dieu, car c'est lui qu'elles chargent de ce soin. Elles comprennent que l'amour dont on les honore vient de lui, puisqu'il semble qu'elles n'ont rien en elles-mêmes qui mérite d'être aimé, et que si on les aime, c'est parce que Dieu les aime. Elles laissent donc à Sa Majesté le soin d'acquitter leur dette de reconnaissance, le prient dans ce but; puis, elles demeurent libres, comme si cela ne les regardait plus.

Après avoir bien tout considéré, je pense quelquefois que s'il ne s'agit pas de personnes qui, comme je l'ai dit, puissent nous aider à acquérir les biens parfaits, il y a un profond aveuglement à vouloir être aimé des autres. Remarquez, en effet, que si nous désirons l'affection du prochain, nous y recherchons toujours quelque intérêt ou une satisfaction personnelle. Les personnes parfaites dont j'ai parlé ont déjà foulé aux pieds tous les biens et tous les plaisirs que le monde peut leur procurer. Leur joie est de telle nature que, le voudraient-elles, elles ne peuvent les goûter qu'en Dieu ou dans des entretiens qui roulent sur Dieu. Quel profit peuvent-elles donc retirer à être aimées ? Dès qu'elles se rappellent cette vérité, elles rient d'elles-mêmes, et de la peine qu'elles ont éprouvée jadis quand elles se demandaient si leur amour était oui ou non payé de retour.

Mais, quoique notre amour soit bon, il nous est très naturel de désirer être aimés. Or, lorsque vous venez à recevoir cette paye, vous reconnaissez qu'elle n'est qu'une paille légère; tout cela n'est que de l'air; ce sont des atomes que le vent emporte. Lorsqu'on nous a beaucoup aimés, que nous en reste-t-il ? Aussi ceux dont je parle ne se soucient-ils pas plus d'être aimés que de ne l'être pas, à moins qu'il ne s'agisse de ceux qui, comme je l'ai dit, peuvent nous aider à acquérir la perfection; ils comprennent que, sans leur dévouement, ils succomberaient promptement sous le poids de la faiblesse humaine. Ceux-là, direz-vous, n'aiment donc, et ne savent aimer personne si ce n'est Dieu? Je réponds qu'ils aiment beaucoup plus : leur amour est plus vrai, plus ardent et plus utile; enfin, c'est de l'amour. Ils sont toujours beaucoup plus portés à donner qu'à recevoir; telle est leur disposition à l'égard du Créateur lui-même. Leur amour, je vous l'assure, est vraiment digne de ce nom, tandis que ces affections basses de la terre l'ont usurpé et ne le méritent point. Vous me direz encore : S'ils n'aiment pas les choses qu'ils voient, sur quoi se porte leur affection? A la vérité, ils aiment ce qu'ils voient, et s'affectionnent à ce qu'ils entendent. Or, ce qu'ils voient est stable. Si donc ils aiment, ils ne s'arrêtent pas au corps : ils jettent le regard sur l'âme et examinent s'il y a en elle quelque chose qui mérite d'être aimé; s'ils n'y découvrent encore rien à aimer, mais seulement quelque commencement de vertu ou quelque disposition au bien, qui permet de supposer qu'en creusant cette mine, on y découvrira de l'or, leur amour ne redoute aucune fatigue; les choses les plus pénibles, ils les accomplissent volontiers pour le bien de cette âme : ils veulent que leur amour soit durable; et ils savent parfaitement que cela est impossible si le prochain ne possède pas les biens célestes et beaucoup d'amour de Dieu. Cela est impossible, ai-je dit; car alors même qu'on obligerait le prochain de toutes manières, qu'on se mourrait d'amour pour lui, qu'on lui rendrait toutes sortes de services, alors même qu'il posséderait toutes les grâces de la nature réunies, on ne saurait lui vouer un amour fort et durable. On sait déjà et on connaît par expérience le peu de valeur de tous les biens de la terre, et on ne se laisse point abuser. On voit qu'on ne doit point aboutir au même terme et qu'un tel amour ne saurait durer; car c'est un amour qui doit finir avec la vie, si le prochain ne garde pas la loi de Dieu et n'a pas d'amour pour lui : et chaque âme alors s'en ira vers un sort différent.

Les âmes auxquelles le Seigneur a communiqué la véritable sagesse, loin d'apprécier au-delà de son mérite l'amour qui finit avec la vie, ne l'estiment même pas ce qu'il vaut. Il a néanmoins son prix pour ceux qui mettent leur bonheur dans les biens du monde, dans les plaisirs, les honneurs, les richesses, qui ont des amis dans l'opulence pouvant leur procurer des fêtes et des réjouissances; mais les âmes qui abhorrent tous les faux biens sont peu sensibles à leur amitié, et n'en font même aucun cas.

Si donc ces âmes aiment le prochain, elles désirent passionnément qu'il aime Dieu et qu'il en soit aimé. Dans le cas contraire, elles le savent, l'amour ne serait pas durable. Cet amour, d'ailleurs, leur coûte cher; car elles ne négligent rien de ce qui est en leur pouvoir pour être utiles à leur prochain. Elles sont prêtes à sacrifier mille fois leur vie pour lui procurer le moindre bien. O précieux amour ! Il s'applique à imiter le Prince de l'amour, Jésus, notre Bien !

CHAPITRE VIII

Où l'on traite du même sujet, c'est-à-dire de l'amour spirituel, et où l'on donne quelques avis pour l'obtenir.

C'est une chose merveilleuse que de voir combien cet amour est ardent. Que de larmes, que de pénitences, que de prières il coûte ! De quel zèle n'est-il pas animé près de ceux qu'il croit puissants sur le cœur de Dieu pour qu'on recommande à sa miséricorde la personne aimée ! Quel désir constant de son avancement ! Il n'a pas de repos tant qu'elle ne réalise pas de progrès. Mais quand, après avoir constaté en elle de l'amélioration, il la voit retourner quelque peu en arrière, il ne peut plus, ce semble, goûter de bonheur en cette vie. Qu'il mange, qu'il dorme, cette préoccupation le poursuit sans cesse. Il redoute toujours la perte de cette âme qu'il aime tant, et il craint d'en être séparé à jamais. La mort temporelle, il la méprise. Il ne veut pas s'attacher à une chose qui s'évanouit au moindre souffle, et qu'on ne peut retenir. Cet amour, je le répète, est sans le moindre mélange d'intérêt propre; tous ses vœux sont de voir cette âme enrichie de biens célestes. Voilà où est le véritable amour, et non dans ces misérables affections de la terre. Je ne parle pas, bien entendu, de l'amour coupable : Dieu nous en préserve ! C'est un enfer. Inutile de nous fatiguer à en décrire l'horreur. Il est impossible d'exposer le moindre de ses maux. Pour nous, mes sœurs, nous ne devons ni prononcer son nom, ni penser qu'il existe en ce monde, ni consentir à ce qu'on en parle devant nous par plaisanterie ou sérieusement, ni permettre en notre présence une conversation ou un entretien sur un amour de cette sorte. Car y prêter seulement l'oreille ne peut produire aucun bien, et peut nuire à l'âme.

L'amour dont je parle est un amour licite; c'est celui, comme je l'ai dit, que nous avons les unes pour les autres, ou pour les parents, ou pour les amies; nous craignons que la personne aimée ne vienne à mourir; si elle souffre seulement de la tête, notre âme elle-même, nous semble-t-il, en éprouve une souffrance physique; si nous la voyons dans l'épreuve, toute notre patience s'en va, et ainsi de tout le reste.

L'amour spirituel est très différent. Sans doute il peut éprouver les premiers mouvements de sensibilité naturelle, mais aussitôt la raison examine si les épreuves où se trouve la personne aimée sont destinées à sa perfection, si elle grandit en vertu, comment elle supporte ses travaux; il prie Dieu de lui donner de la patience et de l'aider à gagner des mérites. La voit-il résignée, il n'éprouve plus aucune peine; mais il se réjouit et se console; bien plus il prendrait volontiers pour lui ce qu'elle souffre plutôt que de la voir elle-même souffrir, et, s'il pouvait, lui donnerait tout le mérite et tout le profit de la souffrance ; néanmoins il ne perd pour cela ni la paix ni le repos. Je le répète, cet amour semble être à l'image et à la ressemblance de celui qu'a eu pour nous Jésus, l'Amour Infini.

Ceux qui aiment ainsi procurent un très grand bien, parce qu'ils prennent pour eux toutes les croix, et veulent que le prochain en retire le profit sans en éprouver la peine. Les personnes qui sont l'objet de leur amitié amassent de grandes richesses. Tenez-le pour certain, ou ils briseront cette amitié, du moins dans ce qu'elle a d'intime, ou ils leur obtiendront de Notre-Seigneur, comme sainte Monique l'obtint pour saint Augustin, la grâce de marcher dans la même voie, puisqu'ils vont à la même patrie.

Ils ne peuvent user avec elles d'aucune dissimulation; s'ils les voient s'éloigner tant soit peu du droit chemin ou commettre quelque faute, aussitôt il les préviennent; ils ne sauraient faire autrement; et comme ils ne peuvent changer sur ce point, qu'ils n'ont recours ni à la flatterie ni à la dissimulation envers elles, ou bien ces personnes s'amenderont, ou bien ils briseront eux-mêmes tout lien d'amitié avec elles, car ils ne pourront supporter une telle conduite, et c'est justice; il y a de part et d'autre une guerre continuelle. Bien qu'ils soient détachés du monde entier et ne recherchent pas si l'on y sert Dieu ou non, uniquement occupés qu'ils sont à accomplir sa volonté, ils ne sauraient en agir de même avec leurs amis; chez ceux-ci ils découvrent tout; ils voient les fautes les plus légères; je l'affirme, leur croix est bien lourde à porter.

Tel est l'amour que je voudrais voir en vous. Bien qu'au début il ne soit pas à cette perfection, il se perfectionnera de jour en jour avec la grâce de Dieu. Commençons par prendre les moyens de l'acquérir; sans doute il pourra s'y mêler un peu de tendresse naturelle; mais cela ne vous nuira point, pourvu que ce soit en général; il est bon et même nécessaire parfois de montrer cette tendresse, d'être sensible aux épreuves et aux infirmités des sœurs, bien qu'elles soient petites; il peut arriver de temps en temps qu'une chose très

légère nous cause autant de chagrin qu'à une autre
une grande épreuve; il y a des personnes qui de leur
nature s'affectent très vivement pour peu de chose. Si
vous avez une nature tout opposée, ne manquez pas
néanmoins d'être compatissantes pour vos sœurs;
peut-être le Seigneur veut-il vous préserver de ces
peines pour vous en donner d'autres; celles qui nous
paraîtront lourdes, et qui le sont en réalité, sembleront
légères à une autre. Ainsi donc ne jugeons point de
ces choses par nous-mêmes. Ne nous considérons pas
dans le temps où peut-être, sans le moindre effort de
notre part, le Seigneur nous rendait plus fortes; mais
considérons-nous dans le temps où nous étions plus
faibles.

Cet avis, sachez-le, est très important pour nous
apprendre à compatir aux souffrances des autres, si
petites qu'elles soient. Il s'adresse, en particulier, aux
âmes dont j'ai parlé. Comme elles sont animées du désir
de souffrir, elles trouvent toutes les croix légères. Il
leur est nécessaire de ne point oublier l'époque où elles
étaient faibles et de reconnaître que, si elles ne le
sont plus, cela ne vient point d'elles, sans quoi, le
démon pourrait refroidir peu à peu leur charité vis-
à-vis du prochain et faire regarder comme une perfection ce qui est une faute. Nous devons agir toujours
avec zèle et circonspection, puisqu'il ne dort pas. Celles
qui aspirent à une plus haute perfection y sont obligées
plus que les autres; car le démon leur tend des pièges
extrêmement cachés; il n'ose les tenter d'une autre
manière. Or, si ces âmes ne se tiennent pas sur leurs
gardes, elles ne s'apercevront du mal qu'une fois
qu'il sera fait. Enfin elles doivent toujours veiller et
prier. Il n'y a pas de meilleur moyen que l'oraison
pour découvrir les pièges cachés du démon et l'obliger
à se démasquer.

Vous devez aussi vous appliquer à être gaies avec
les Sœurs, lorsqu'elles prennent une récréation spéciale qui leur est nécessaire. Vous y veillerez également
avec soin à l'heure de la récréation ordinaire, même si
vous n'y prenez aucun plaisir. Si vous agissez avec pru-

dence, tout devient amour parfait. Il est très bon d'avoir de la compassion les unes pour les autres dans la nécessité; mais ne manquez pour cela ni à la discrétion, ni à l'obéissance. Le commandement de la prieure pourra vous paraître dur intérieurement; néanmoins n'en manifestez rien, n'en dites rien à personne, si ce n'est à la prieure elle-même, et avec humilité, sans quoi vous causeriez un grave préjudice.

Voici les choses où vous devez montrer du cœur et de la compassion pour les sœurs. Soyez vivement affectées de toute faute que vous découvrirez en elles, dès lors qu'elle est notoire; d'un autre côté, montrez et exercez bien votre amour, en vous appliquant à supporter cette faute et en ne vous en étonnant point. Les sœurs feront de même pour vos fautes qui doivent être beaucoup plus nombreuses, bien que vous ne les remarquiez pas. De plus, recommandez instamment ces sœurs à Dieu, et tâchez d'accomplir avec une haute perfection la vertu opposée aux fautes que vous avez remarquées en elles. Vous vous efforcerez à cette pratique, et ainsi vous instruirez plutôt par les œuvres que par les paroles, qui peut-être ne seraient pas comprises et ne produiraient aucun résultat, pas plus que des châtiments. Car la vertu qu'on voit briller chez les autres est très contagieuse. C'est là un avis excellent : ne l'oubliez point !

Oh ! qu'il est excellent et véritable l'amour d'une sœur qui porte au bien toutes ses compagnes, qui oublie son intérêt propre pour le leur, qui réalise de sérieux progrès dans toutes les vertus et garde sa règle avec perfection ! Voilà une amitié meilleure que toutes les paroles de tendresse qu'on peut dire. On ne prononce pas et l'on ne doit jamais dans ce monastère prononcer des paroles comme celles-ci : Ma vie, mon âme, mon bien, ou autres de ce genre que l'on adresse tantôt à une personne, tantôt à une autre. Ces paroles de tendresse, réservez-les pour votre divin Époux.

Puisque vous devez demeurer si longtemps avec Lui et dans une solitude si profonde, elles pourront vous servir, et Sa Majesté daignera les agréer. Si vous vous

en serviez habituellement entre vous, elles ne vous
attendriraient plus autant lorsque vous êtes avec Dieu.
En dehors de là, il n'y a pas de motif de les prononcer.
Elles sentent trop la femme, et je désire, mes filles,
que vous ne soyez et ne paraissiez femmes en rien,
mais que vous ressembliez à des hommes forts. Si vous
accomplissez ce qui dépend de vous, le Seigneur vous
rendra tellement viriles que vous étonnerez les hommes
eux-mêmes. Et quoi de plus facile pour lui ? Il vous a
tirées du néant !

Une autre marque excellente d'amour consiste à
enlever aux sœurs et à prendre pour soi ce qu'il y a
de fatigant dans les offices du monastère; c'en est une
également de se réjouir vivement à la vue de leurs progrès dans la vertu et d'en rendre à Dieu de sincères
actions de grâces. Toutes ces choses non seulement
apportent avec elles un grand bien, mais elles contri-
buent beaucoup à la paix et à la bonne harmonie avec
les sœurs. Voilà précisément ce que, par la bonté de
Dieu, l'expérience nous montre dans ce monastère.
Plaise à Sa Majesté de maintenir toujours cette union !
Ce serait une chose terrible si le contraire arrivait.
Quelle souffrance plus atroce que d'être en petit
nombre et de vivre désunies ! Plaise à Dieu de ne le
permettre jamais !

Si par hasard il se glissait quelque petite parole
contre la charité, qu'on y apporte aussitôt le remède,
que toutes adressent à Dieu de ferventes prières. J'en
dis autant s'il y avait parmi vous de ces maux qui
durent longtemps, comme des ligues, des désirs d'ambition, des points d'honneur. Quand je pense, en écri-
vant ces lignes, que cela pourrait arriver un jour, il
me semble que le sang se glace dans mes veines. Je vois
que c'est là le plus grand mal pour un monastère. S'il
arrivait jamais, tenez-vous pour perdues. Considérez
et croyez que vous avez chassé votre Époux de sa
propre maison, et que vous l'obligez à aller chercher
une autre demeure. Faites monter vos gémissements
jusqu'à Sa Majesté; cherchez le remède; si vous n'y
parvenez pas après tant de confessions et communions,

craignez qu'il n'y ait parmi vous quelque Judas.

Que la prieure, pour l'amour de Dieu, veille bien à ne pas laisser s'introduire ce mal; qu'elle s'y oppose énergiquement dès le début; tout dépend de là, le mal comme le remède. Si elle voit une sœur jeter le trouble, qu'elle ne néglige rien pour l'envoyer à un autre monastère. Dieu vous procurera la dot nécessaire pour cela. A tout prix, défaites-vous de cette sœur; c'est une peste. Coupez comme vous pourrez les rameaux de cette plante; si cela ne suffit pas, déracinez-la. Si vous ne pouvez envoyer cette sœur dans un autre monastère, enfermez-la dans une prison, d'où elle ne sorte jamais; mieux vaut la traiter ainsi que de la laisser communiquer aux autres un mal incurable.

Oh! quel mal affreux! Dieu veuille qu'il ne pénètre jamais en aucun monastère! Je préférerais y voir entrer un feu qui nous consumât toutes.

Comme je compte vous parler ailleurs un peu plus longuement de ce sujet si important, je n'en dis pas davantage en ce moment.

CHAPITRE IX

Ce chapitre traite du grand bien qu'il y a à se détacher intérieurement et extérieurement de tout le créé.

Parlons maintenant du détachement où nous devons être. Il est tout pour nous, s'il est parfait. Je dis qu'il est tout pour nous : dès lors, en effet, que nous nous attachons seulement au Créateur, et que nous nous élevons au-dessus de toutes les choses créées, Sa Majesté nous infuse les vertus de telle sorte que si, de notre côté, nous travaillons à acquérir peu à peu la perfection dans la mesure de nos forces, nous n'aurons plus beaucoup à combattre. Le Seigneur étendra sa main pour nous défendre contre les démons et le monde tout entier. Ne pensez-vous pas, mes Sœurs, qu'il est fort important et fort bon pour nous de cher-cher à nous donner tout entières et sans réserve aucune à Celui qui est tout ? Puisqu'il est, je le répète, la source de tous les biens, rendons-lui, mes Sœurs, les plus vives actions de grâces de ce qu'il nous a réunies dans cet asile où le détachement est notre unique occupation. Aussi, je ne sais pourquoi je vous parle de cette vertu, car il n'y en a pas une parmi vous qui ne soit à même de me l'enseigner. J'avoue ne pas avoir sur ce point si important la perfection que je désire, et que je sens bien être nécessaire. Il en est de même des autres vertus et de ce que j'expose dans ce livre. Car il est plus facile d'écrire que d'agir; et encore ce que j'écri-rai ne sera-t-il pas exact, car il faut parfois connaître une chose par expérience pour en bien parler; mais, pour réussir, je n'aurai qu'à considérer toutes mes fausses vertus, pour connaître aussitôt celles que j'aurais dû avoir.

Quant à l'extérieur, on voit assez combien nous sommes séparées de tout. O mes sœurs, je vous en prie pour l'amour de Dieu, comprenez la faveur insigne que le Seigneur vous a faite en vous amenant ici. Que chacune d'entre vous y réfléchisse sérieusement. Vous n'êtes que douze, et Sa Majesté a voulu que vous fussiez de ce nombre. Mais combien d'autres, meilleures que moi, auraient, je le sais, pris de bon cœur cette place ! et le Seigneur me l'a accordée, quand j'étais si loin de l'avoir méritée ! Soyez béni, ô mon Dieu ! que toutes les créatures chantent vos louanges ! Je ne saurais moi-même vous remercier dignement de cette faveur, ni de beaucoup d'autres que vous m'avez faites. N'en est-ce pas une insigne que vous m'ayez appelée à la vie religieuse ? Mais comme j'ai été si infidèle, vous ne vous êtes point fié à moi, ô mon Dieu. Là où se trouvaient réunies tant de saintes âmes, mes imper-fections seraient restées cachées jusqu'à la fin de ma vie. Vous m'avez donc amenée dans cette maison où, les Sœurs étant en très petit nombre, il semble impos-sible que mes fautes passent inaperçues; et afin que je me surveille davantage, vous m'enlevez toutes les occasions de vous offenser. Désormais, ô mon Seigneur, il n'y a plus d'excuse pour moi, je le confesse. Aussi ai-je plus que jamais besoin de votre miséricorde pour obtenir le pardon des fautes que je pourrais commettre.

Ce que je demande instamment, mes filles, c'est que si quelqu'une d'entre vous ne se reconnaît pas capable de suivre ce qui se pratique dans ce monastère, qu'elle le dise. Il y a d'autres monastères où l'on sert également le Seigneur; elle peut y aller; mais qu'elle ne reste pas ici; elle troublerait les quelques religieuses que Sa Majesté y a réunies. Ailleurs, elle aura la liberté de chercher quelque consolation près de ses parents; ici, quand on admet quelques parents à nous visiter, c'est dans le but de les consoler eux-mêmes. Quant à la religieuse, si elle désire les voir pour une satisfaction personnelle, lorsqu'ils ne sont pas adonnés à la vie intérieure, qu'elle se regarde comme imparfaite; qu'elle se persuade qu'il n'y pas de détachement en elle; son âme est malade; elle ne jouira pas de la liberté de l'esprit; elle ne possédera pas une paix complète; elle a besoin du médecin. Je lui déclare que, si elle ne renonce pas à cette attache, et ne s'en guérit pas, elle n'est pas faite pour cette maison.

Le meilleur remède, à mes yeux, c'est qu'elle ne voie point ses parents, jusqu'à ce qu'elle se trouve vraiment libre, et obtienne de Dieu cette grâce par de longues prières; lorsqu'elle se trouvera disposée de telle sorte que leurs entretiens lui seront une croix, oui, alors elle pourra les voir; elle leur sera utile et ne se nuira point à elle-même.

CHAPITRE X

*Ce chapitre parle des grands biens qu'il y a à fuir
les parents quand on a quitté le monde et montre
quels amis plus sincères on trouve alors.*

Oh ! si nous, religieuses, nous comprenions bien
quels dommages nous sont causés par les rapports
fréquents avec nos proches, comme nous les fuirions !
Je ne vois pas quelle consolation ils peuvent nous
donner, je ne dis pas seulement dans ce qui touche le
service de Dieu, mais même du côté de la paix et du
repos. Nous ne pouvons ni ne devons prendre part
à leurs plaisirs ; il ne nous reste donc qu'à partager leurs
épreuves ; or, il n'y en aura pas une sur laquelle nous
ne pleurions, et quelquefois plus qu'eux-mêmes. En
vérité, si l'on en reçoit de quoi soulager quelque peu
le corps, l'esprit le paie cher.

Ce danger n'existe pas ici. Comme tout est en com-
mun et qu'aucune d'entre vous ne peut posséder en
son particulier le moindre soulagement, l'aumône
faite par les parents est pour toutes en général ; et de
cette façon, aucune sœur ne se trouve obligée à plus
de reconnaissance que ses compagnes pour ce bienfait. Vous le savez déjà, c'est à Notre-Seigneur de
pourvoir aux besoins de la Communauté.

Je suis toujours étonnée de voir les dommages
qu'entraînent les fréquents rapports avec les parents.
À mon avis, on ne saurait le croire, à moins d'en avoir
fait l'expérience. Comme la perfection dont je parle
semble oubliée aujourd'hui dans les maisons religieuses ! Je ne sais ce que nous avons laissé du monde,
quand nous déclarons que nous avons tout quitté
pour Dieu, si nous ne nous sommes pas détachées
du principal, c'est-à-dire des parents. Les choses en

sont venues à tel point que les religieux croiraient manquer de vertu s'ils n'aimaient beaucoup leurs parents et n'avaient de fréquents entretiens avec eux. Et comme ils savent bien le dire ! Comme ils en allèguent de bonnes raisons !

Dans cette maison, mes filles, ayons un soin particulier de recommander à Dieu nos parents; c'est justice. Mais ensuite, éloignons-les le plus possible de notre souvenir, parce que notre volonté s'attache naturellement à eux plus qu'à tous les autres. Pour moi, j'ai été beaucoup aimée des miens, comme ils me le disaient d'ailleurs, et je les aimais tant que je ne les laissais point m'oublier. Mais voici ce que j'ai appris par mon expérience et celle des autres. Je ne parle point ici de nos père et mère; il est rare qu'ils omettent de se dévouer pour leurs enfants, et il est juste d'avoir des rapports avec eux, quand ils ont besoin de consolation; ne montrons donc point une conduite étrange à leur égard, s'il n'en doit résulter aucun inconvénient pour l'œuvre principale de notre perfection : nous pouvons les voir et conserver cependant un détachement complet. J'en dis autant des frères et sœurs. Mais il n'en est pas de même des autres parents. Au milieu des travaux où je me suis trouvée, ce sont ces derniers qui m'ont le moins aidée; au contraire, le secours m'est venu des serviteurs de Dieu.

Croyez-moi, mes sœurs, servez fidèlement Notre-Seigneur, comme vous y êtes obligées, et vous ne trouverez pas de parents plus dévoués que ceux que vous enverra Sa Majesté. Je sais qu'il en est ainsi. Gardez la ligne de conduite où vous êtes, comprenez bien qu'agir autrement serait manquer à votre véritable Ami, à votre Époux, et, n'en doutez point, vous acquerrez promptement cette liberté dont je parle. Vous pourrez vous fier davantage à ceux qui vous aiment uniquement pour lui, qu'à tous vos proches; ceux-là ne vous manqueront point. Vous trouverez même dans ceux à qui vous ne pensiez pas, des pères et des frères; ils attendent de Dieu seul leur récompense et ils se dévouent pour nous. Ceux, au contraire, qui attendent de nous leur récompense, nous voyant pauvres et incapables de leur rendre le moindre service, se lassent bientôt de nous secourir. Cela, il est vrai, n'est pas général, mais c'est le plus ordinaire, parce qu'enfin le monde est toujours le monde.

Ne croyez pas quiconque vous dira le contraire et cherchera à le faire passer pour vertu. Si je vous exposais tous les dangers de ces attaches humaines, je devrais m'étendre beaucoup. Comme de plus instruits que moi ont écrit sur ce sujet, il suffit de ce que j'ai dit. Mais puisque, malgré l'étendue de ma misère, j'ai une vue si profonde de ces dangers, quelle connaissance ne doivent pas en avoir les âmes parfaites ! quand tous les saints ne cessent de nous conseiller la fuite du monde ils proclament évidemment une chose salutaire. Croyez-moi, ce qui, je le répète, s'attache le plus à nous et ce dont nous avons le plus de difficulté à nous détacher, ce sont les parents. Voilà pourquoi ceux qui s'en vont loin de leur pays font bien, si cela les aide au détachement; mais le détachement ne dépend pas, à mon avis, de l'éloignement corporel; il consiste à s'unir généreusement au bon Jésus, Notre-Seigneur. Comme l'âme trouve tout en lui, elle oublie tout le reste. Néanmoins l'éloignement des créatures nous aide beaucoup au détachement, jusqu'à ce que nous ayons compris cette vérité. Et alors le Seigneur voudra peut-être, pour nous faire trouver une croix là où nous n'avions que du plaisir, que nous traitions avec nos proches.

CHAPITRE XI

Ce chapitre montre comment il ne suffit pas de
se détacher des proches, si nous ne nous détachons de
nous-mêmes, et comment le détachement et
l'humilité vont ensemble.

Une fois détachées du monde et de nos proches,
pour nous enfermer ici dans les conditions dont j'ai
parlé, il nous semblera peut-être que nous n'avons plus
rien à faire et que nous n'avons plus de combat à
soutenir. O mes Sœurs, gardez-vous d'une pareille
sécurité; ne vous endormez pas. Vous ressembleriez
à celui qui se couche bien tranquille, parce qu'il a
soigneusement fermé ses portes par crainte des voleurs,
quand il les a laissés dans sa maison. Or, c'est nous-
mêmes que nous enfermons; et, vous vous en doutez
bien, nous ne saurions rencontrer de pires larrons.
Si donc nous ne nous surveillons beaucoup, si chacune
de nous ne considère comme l'affaire la plus importante
de toutes le renoncement à sa volonté propre, une
foule d'obstacles nous enlèveront la sainte liberté
d'esprit et empêcheront l'âme de prendre son vol vers
le Créateur, dégagée de tout ce qui est terre et plomb.

Voici un grand remède pour cela. Considérons sans
cesse que tout est vanité et combien tout est passager.
Ce sera le moyen de détourner notre affection de choses
si fragiles et de la porter à ce qui ne finira jamais;
ce moyen, tout faible qu'il paraisse, communique néanmoins peu à peu à l'âme la plus grande vigueur.
Veillons, en outre, avec beaucoup de soin à ne pas
avoir d'attache pour une chose, si minime qu'elle soit.
Détournons-en aussitôt notre pensée pour la diriger
vers Dieu : car c'est lui qui nous aide. Déjà il nous a
accordé une grâce insigne, en nous appelant dans cette
maison. Le principal est fait. C'est néanmoins chose

rude encore que de nous détacher de nous-mêmes et
de lutter contre notre nature, car nous sommes fort
unies à nous-mêmes et nous nous aimons beaucoup.

La porte est ouverte ici à la véritable humilité.
Cette vertu et celle du renoncement marchent toujours ensemble, à mon avis. Ce sont deux sœurs;
il ne faut point les séparer. Elles ne sont point comprises parmi ces proches dont, comme je l'ai dit, nous
devons nous détacher; au contraire, chérissez-les,
aimez-les et ne vous privez jamais de leur compagnie.

O souveraines vertus, reines de tout le créé, prin-
cesses du monde, libératrices de toutes les ruses et de
tous les pièges du démon, vous, si chères au Christ,
notre Maître, qu'il ne se vit jamais un seul instant sans
vous ! celui qui vous possède peut s'avancer en toute
sécurité; il peut lutter contre tout l'enfer réuni, contre
le monde et ses séductions. Qu'il ne redoute personne;
le royaume des cieux est à lui. Il n'a rien à craindre,
car il se préoccupe peu de perdre tous les biens créés :
ce ne serait même pas là une perte pour lui. Il ne craint
qu'une chose, celle de déplaire à Dieu. C'est pourquoi
il le supplie de le fixer dans la possession de ces deux
vertus, afin qu'il ne les perde pas par sa faute.

A la vérité, le propre de ces vertus est de se cacher
aux regards de celui qui les possède. Il ne les découvre
jamais en lui. Il ne peut se persuader qu'il en est enrichi, malgré ce qu'on lui affirme. Cependant il en a une
si haute estime qu'il s'applique sans cesse à les acquérir, et qu'il ne néglige rien pour les posséder dans une
plus grande perfection. Elles se trahissent néanmoins
chez celui qui les possède, et dès qu'on traite avec
lui, on les découvre immédiatement, sans qu'il s'en
doute.

Mais quelle folie de vous faire l'éloge de l'humilité
et de la mortification quand le Roi de gloire les a tant
exaltées et qu'Il les a si bien consacrées par tant de
souffrances ! Courage, mes filles ! C'est le moment de
travailler à sortir de la terre d'Égypte. Lorsque nous
aurons trouvé ces vertus, nous aurons trouvé la manne;
toutes les choses seront pleines de saveur pour nous.

Quelque amères qu'elles soient aux gens du monde, elles nous paraîtront pleines de suavité.

Eh bien ! la première chose à faire maintenant, c'est de déraciner en nous l'amour de notre corps. Il y a des religieuses naturellement si amies de leurs aises, qu'elles n'ont pas peu à faire ici; elles sont fort soucieuses de leur santé, et il est étonnant de voir les combats que les religieuses en particulier, mais tout aussi bien les personnes qui ne le sont pas, doivent soutenir sur ce point. On dirait que certaines religieuses ne sont entrées dans le cloître que pour travailler à ne point mourir, et prendre toutes sortes de soins. A la vérité, des actions de ce genre ne sont guère possibles dans ce monastère; mais je voudrais qu'on n'en eût même pas le désir.

Prenez donc courage, mes Sœurs, vous êtes venues ici dans le but de mourir pour Jésus-Christ, et non de vous traiter avec délicatesse pour lui. Le démon représente à l'esprit que l'on doit se soigner pour suivre et garder la règle; et l'on veille alors avec tant de soin sur sa santé, (toujours dans la louable intention de suivre et de garder la Règle), que l'on meurt sans l'avoir suivie complètement durant un mois, ni peut-être un seul jour. Je ne sais pourquoi ces personnes sont entrées en religion. Ne craignez pas que l'on manque de prudence sur ce point; ce serait bien extraordinaire. Les confesseurs eux-mêmes ont aussitôt peur que l'on ne vienne à se tuer par des pénitences. Cette imprudence est tellement en horreur qu'il serait à souhaiter qu'on eût même cette disposition pour tout.

Les âmes qui suivent une voie opposée ne se troubleront pas, j'en ai la certitude, de ce que je dis; et moi, je ne me troublerai pas si on prétend que je juge des autres par moi-même; car c'est la vérité. A mon avis, le Seigneur nous rend d'autant plus malades que nous nous soignons davantage : c'est du moins la grande miséricorde qu'il m'a faite; comme je devais rechercher mes aises d'une façon ou d'une autre, il a voulu que ce fût pour quelque chose.

C'est une chose curieuse que de voir quel tourment se donnent ces religieuses. Il leur vient parfois un désir de se livrer, à tort et à travers, à des pénitences qui ne durent que deux jours, comme on dit. Puis le démon leur représente que cela leur a fait mal. Il leur inspire donc l'horreur des pénitences, et elles n'osent même plus, après une telle expérience, accomplir celles de la règle. Nous ne gardons pas certains points très faciles de la règle, comme le silence qui ne saurait nous faire du mal. A peine souffrons-nous de la tête que nous n'allons plus au chœur, ce qui ne nous tuerait pas. Nous voulons inventer des pénitences de notre choix; et nous en venons à ne plus accomplir ni celles-ci, ni celles-là. Parfois la souffrance est légère et nous ne nous croyons plus obligées à rien, ou bien nous nous imaginons avoir rempli notre devoir, parce qu'avec une dispense, nous nous estimons quittes. Mais, direz-vous, pourquoi la Supérieure la donne-t-elle ? Si elle connaissait notre intérieur, peut-être ne l'accorderait-elle pas. On lui représente qu'il s'agit d'une chose nécessaire; le médecin, à qui on a parlé dans le même sens, nous appuie; une amie ou une parente est là tout près qui pleure. Que voulez-vous que fasse la prieure ? Elle a scrupule de manquer à la charité; elle aime mieux vous laisser commettre la faute que la commettre elle-même.

Voilà des choses qui peuvent arriver parfois. Je les marque ici pour que vous sachiez vous en préserver; car si le démon commence à nous effrayer par la crainte de perdre la santé, nous ne ferons jamais rien. Plaise au Seigneur de nous donner sa lumière afin que nous puissions nous bien diriger en tout ! Ainsi soit-il !

CHAPITRE XII

*Ce chapitre continue à traiter de la mortification
et expose celle qu'il faut acquérir
dans les maladies.*

C'est, à mon avis, mes sœurs, une véritable imperfection de se plaindre sans cesse pour des maux légers;
si vous pouvez les supporter sans en rien dire, faites-
le. Quand le mal est grave, il se plaint lui-même, il a
une autre plainte que les vôtres; on le reconnaît tout
de suite. Considérez que vous êtes en petit nombre. Or
que l'une d'entre vous vienne à prendre cette mauvaise
habitude, elle peut causer de la peine à toutes les
autres, dès lors que vous vous aimez et que vous avez
de la charité. Que celle qui est vraiment malade le dise
et prenne ce qui lui est nécessaire. Si elle n'a plus
d'amour-propre, elle sera tellement affligée de prendre
le moindre soulagement qu'il n'y a pas à craindre
qu'elle l'accepte sans nécessité, ou se plaigne sans
motif.

Lorsqu'il y a nécessité, ce serait une plus grande
faute de ne pas le dire et de ne pas se soigner que de
prendre des soulagements sans raison aucune; ce
serait très mal aussi de la part des sœurs de ne pas lui
manifester leur compassion. Mais, à coup sûr, là où
règne la charité et où les sœurs sont en petit nombre,
on ne manquera jamais de nous soigner dans la maladie.
Quant à certaines faiblesses, à ces petits maux de femmes,
ne songez point à vous en plaindre; c'est parfois
le démon qui nous fait croire à toutes ces douleurs;
elles vont et viennent : perdez l'habitude d'en parler,
de gémir pour la moindre chose, sauf auprès de
Dieu; sans quoi, vous n'en finirez jamais. Notre corps
a cela de mauvais, que plus on le soigne, plus il se
découvre de nouveaux besoins. C'est une chose étrange

comme il aime à être bien traité. A la moindre nécessité, il se sert de prétextes spécieux pour tromper la pauvre âme et arrêter ses progrès. N'oubliez donc point qu'il y a une foule de pauvres malades qui n'ont personne à qui se plaindre. Vous êtes pauvres, et vous voudriez être bien traitées ! Songez donc encore qu'il y a beaucoup de femmes mariées, et, je le sais, de la haute classe de la société, qui, malgré de grandes souffrances et de cruelles épreuves, n'osent pas élever une plainte pour ne point déplaire à leur mari. Mais, pécheresse que je suis ! Est-ce que nous sommes venues ici pour être mieux traitées qu'elles ? Et puisque, mes sœurs, vous êtes à l'abri des terribles épreuves qu'on endure dans le monde, sachez souffrir un peu pour l'amour de Dieu, sans que tout le monde le sache. Voilà une femme très mal mariée, et pour que son mari n'apprenne pas qu'elle en parle ou qu'elle s'en plaint, elle souffre les plus noirs chagrins, sans avoir de consolation de personne ! Et nous ne supporterions pas, entre Dieu et nous, quelques-unes des afflictions qu'il nous envoie pour l'expiation de nos péchés, quand surtout les plaintes ne servent nullement à calmer la douleur !

Dans tout ce que je viens de dire, il n'est pas question d'un mal violent, comme d'une forte fièvre par exemple; et cependant si l'on vient à se plaindre alors, que ce soit toujours avec modération et patience. J'ai voulu parler de ces petits maux que l'on peut endurer debout. Mais qu'arrivera-t-il si ces lignes viennent à être lues hors de cette maison ? Que ne diront pas de moi toutes les religieuses ? Ah ! bien volontiers je supporterais tout, si cette lecture devait en corriger quelqu'une. Car lorsqu'il y a seulement une sœur qui se plaint sans motif, on en arrive ordinairement à ne plus croire les autres, malgré les maux dont elles souffrent.

Rappelons-nous nos pères, ces saints ermites d'autrefois, dont nous prétendons imiter la vie. Que de douleurs supportées dans l'isolement ! Que n'ont-ils pas souffert du froid, de la faim, du soleil, de la chaleur sans avoir personne à qui se plaindre, excepté Dieu !

Pensez-vous qu'ils étaient de fer ? Ils étaient aussi
délicats que nous. Croyez donc, mes filles, que le jour
où nous commencerons à vaincre ce misérable corps, il
ne nous sera plus aussi importun. Vous aurez toujours
assez de sœurs qui veilleront à vous procurer ce dont
vous aurez besoin; pour vous, laissez de côté ce soin,
à moins que la nécessité ne soit évidente.

Si nous ne nous déterminons pas une bonne fois
à faire bon marché de la mort et de la perte de la santé,
nous ne ferons jamais rien. Tâchez de ne plus redouter
la mort, abandonnez-vous complètement à Dieu, et
arrive que pourra. Qu'importe que nous mourions ?
Quand le corps s'est moqué de nous si souvent, est-ce
que nous ne nous moquerons pas de lui quelquefois ?
Croyez-moi, cette détermination importe plus que
nous ne pourrions le croire. Car si nous nous appliquons avec persévérance à dompter peu à peu notre
corps, avec l'aide de Dieu nous en deviendrons maî-
tresses. Vaincre un tel ennemi est une grande affaire
pour soutenir les combats de cette vie. Plaise au Seigneur de nous accorder cette grâce, puisqu'Il le peut !
Je crois bien que celui-là seul en comprend les avantages qui jouit déjà de la victoire. Ils sont tellement
précieux, à mon avis, que si on les connaissait, personne ne reculerait devant cette épreuve pour posséder
cette satisfaction et cet empire.

CHAPITRE XIII

Ce chapitre montre comment celui qui aime
vraiment Dieu doit faire peu de cas
de la vie et de l'honneur.

Passons à d'autres points qui sont aussi très importants, bien qu'ils paraissent insignifiants. Tout nous
semble pénible, et à juste titre, puisqu'il s'agit d'une
guerre contre nous-mêmes. Mais dès que nous nous

mettons à l'œuvre, Dieu agit si puissamment dans l'âme et lui accorde tant de grâces qu'elle considère comme peu de chose tout ce qu'elle peut accomplir en cette vie. Quant à nous, religieuses, nous faisons le principal, lorsque nous renonçons à notre volonté pour l'amour de Dieu, et la remettons aux mains d'autrui. Nous nous soumettons, en outre, à toutes sortes de pénitences : jeûnes, silence, clôture, office au chœur. Voudrions-nous nous traiter avec délicatesse, nous ne le pourrions que rarement; et peut-être en tant de monastères que j'ai vus, suis-je la seule à l'avoir fait. Pourquoi donc nous arrêterions-nous là et ne pratiquerions-nous pas la mortification intérieure ? Elle rendrait toutes nos pénitences extérieures beaucoup plus méritoires et plus parfaites, et nous les accomplirions avec plus de suavité et de paix.

On arrive à cet état lorsque, comme je l'ai dit, on résiste peu à peu à sa volonté propre et à ses penchants, même dans les petites choses, jusqu'à ce que le corps soit enfin assujetti à l'esprit. Je le répète, tout, ou presque tout, consiste à nous affranchir de la recherche de nous-mêmes et de nos aises. Quand on commence à servir Dieu véritablement, le moins qu'on puisse lui offrir, c'est le sacrifice de sa vie. On lui a déjà donné sa volonté, que craint-on ? A coup sûr, le religieux fervent ou l'homme d'oraison qui désire goûter les joies divines, ne doit pas retourner en arrière, mais désirer mourir pour Dieu et endurer le martyre pour sa cause. Or, ne le savez-vous pas, mes sœurs ? Est-ce que la vie d'un bon religieux, de celui qui veut être compté parmi les amis intimes de Dieu, n'est pas un long martyre ? Je dis long, en comparaison de ce martyre d'un moment qu'ont enduré ceux qui ont eu la tête tranchée; car toute vie n'est-elle pas courte, celle de quelques-uns en particulier ? Or, savons-nous si la nôtre ne sera pas courte et ne s'achèvera pas à l'heure ou à l'instant qui suivra notre détermination de servir Dieu fidèlement ? C'est là une chose possible. Car après tout, il n'y a pas à faire grand cas de tout ce qui a une fin. Songez donc que chaque heure peut être la dernière; et quelle est celle parmi vous qui ne voudrait la bien employer ?

Croyez-moi, le plus sûr est de s'attacher à cette pensée. Travaillons donc à contrarier en tout notre volonté. Si nous nous y appliquons comme je l'ai dit, nous arriverons peu à peu, et sans savoir comment, au sommet de la perfection. Mais ne semble-t-il pas trop rigoureux de dire que nous ne devons rechercher notre satisfaction en rien ? Évidemment, si on passe sous silence les douceurs et les délices qu'amène cette lutte contre nous-mêmes, et les avantages ou la sécurité qu'elle procure dès cette vie même.

Comme toutes les sœurs de ce monastère suivent cette voie, le plus difficile est fait; vous vous stimulez mutuellement; vous vous aidez; chacune d'entre vous s'applique à devancer les autres dans la pratique du renoncement. Surveillez attentivement vos mouvements intérieurs, surtout ceux qui concernent les prééminences. Que le Seigneur nous préserve par sa douloureuse Passion de nous arrêter à toute pensée ou parole comme les suivantes : Je suis plus ancienne en religion, je suis plus âgée, j'ai travaillé davantage, on a plus d'égards pour telle sœur que pour moi. Il faut résister à ces pensées, dès qu'elles se présentent ; si vous vous y arrêtez, si vous venez à en parler, c'est une peste, et la source de grands maux. Lorsque vous aurez une prieure qui supportera tant soit peu des réflexions de ce genre, croyez que Dieu a permis que vous l'ayez en punition de vos péchés et que c'est là le commencement de votre perte. Priez-le avec ferveur qu'il daigne y remédier, parce que vous êtes exposées à un grave danger.

Vous trouverez peut-être que j'insiste beaucoup sur ce point et que j'expose une doctrine sévère, car Dieu accorde ses douceurs spirituelles à des âmes qui ne sont pas encore arrivées à ce détachement complet. C'est vrai, mais Dieu voit dans sa sagesse infinie que cela convient pour nous porter à tout abandonner par amour pour lui. Je n'appelle pas détachement la seule entrée en religion; il peut y avoir des obstacles

pour y entrer, et une âme parfaite peut pratiquer partout le détachement et l'humilité. Il lui en coûtera
plus d'efforts dans un lieu que dans un autre, j'en
conviens, car c'est un grand point que de se trouver
dans des circonstances favorables. Mais croyez-moi,
là où règnent le point d'honneur et l'amour des biens
temporels, il n'y a point de détachement, et cela peut
exister dans les monastères comme ailleurs; plus vous
êtes éloignées des occasions, plus la faute sera grande.
Malgré de longues années passées dans l'oraison, ou
pour mieux dire, dans la méditation, car l'oraison
parfaite finit par corriger ces défauts, on ne saurait
jamais grandir beaucoup ni arriver à jouir du véritable
fruit de l'oraison.

Voyez, mes sœurs, s'il n'y a pas quelque nécessité
pour vous à vous renoncer sur les points dont j'ai
parlé; nous ne sommes ici que pour cela. En agissant
autrement, vous ne seriez pas plus honorées; et vous
perdriez tout profit là où vous auriez pu gagner beaucoup, de sorte que déshonneur et perte vont ici ensemble. Que chacune d'entre vous considère où elle en est
de l'humilité, et elle verra où elle en est de ses progrès spirituels.

Il me semble qu'en matière de prééminence, le
démon n'osera pas tenter, même par un premier mouvement, l'âme véritablement humble; comme il est
extrêmement sagace, il redoute le coup dont il serait
frappé. Il est impossible à l'âme humble de ne pas
grandir et progresser dans cette vertu, si le démon
tente par là. Cette âme en effet jette le regard sur sa
vie; elle voit de quelle sorte elle a servi Dieu et combien elle lui est redevable; elle considère par quel
prodigieux abaissement le Sauveur est descendu
jusqu'à nous afin de nous donner l'exemple de l'humilité; elle découvre ses propres péchés et le lieu où
elle aurait mérité d'être condamnée; elle tire de là
tant de profits que le démon n'ose plus la tenter, dans
la crainte d'avoir la tête brisée.

Voici un conseil que je vous donne; ne l'oubliez
point. Non seulement vous devez avancer intérieure-

ment dans l'humilité, sans quoi ce serait un grand malheur; mais tâchez encore, par vos actes extérieurs, de faire tourner votre tentation au profit des sœurs; et si vous voulez vous venger du démon et vous délivrer plus promptement de la tentation, dès que vous êtes tentée, suppliez la supérieure de vous commander quelques offices bas, ou découvrez-en vous-même, dans la mesure du possible; étudiez la manière de briser votre volonté dans les choses qui lui répugnent et que Le Seigneur vous découvrira; de la sorte, la tentation durera peu.

Dieu nous préserve des personnes qui prétendent le servir et prennent soin en même temps de leur honneur! C'est là, croyez-moi, un mauvais calcul. Je l'ai déjà dit, l'honneur lui-même se perd dès qu'on le recherche, surtout quand il s'agit de prééminences; il n'y a pas de toxique au monde qui empoisonne aussi promptement le corps que l'orgueil ne tue la perfection.

Mais, direz-vous, ce sont là de petites choses, des mouvements de nature, et il n'y a pas lieu d'en faire cas. Veillez au contraire à ne point les traiter à la légère. Ces choses montent comme l'écume. Une chose n'est pas petite, quand le danger est aussi grand que dans ces points d'honneur, et dans la recherche des torts qu'on peut nous avoir faits. Savez-vous pourquoi? En voici une raison entre beaucoup d'autres. Le démon commence à vous tenter à propos d'une chose légère, qui ne sera presque rien; mais aussitôt il la représente comme grave à une autre; cette dernière croira même faire acte de charité en vous en parlant. Elle vous dira: Comment pouvez-vous supporter cette injure? je prie Dieu de vous donner de la patience; offrez-lui cette épreuve; un saint ne souffrirait pas davantage. Le démon enfin met sur la langue de cette sœur mille faux raisonnements. J'admets que vous vous résigniez à souffrir; vous serez néanmoins tentée de vaine gloire pour une épreuve que vous n'avez pas supportée avec la perfection que vous devriez montrer. Notre nature est si faible! même lorsque nous reconnaissons n'avoir

rien à souffrir d'une épreuve, nous pensons avoir
fait quelque chose en la supportant, et nous y sommes
fort sensibles. A plus forte raison quand nous voyons
les autres en souffrir par amour pour nous; voilà
comment l'âme perd les occasions qu'elle avait de
gagner des mérites; elle demeure alors plus faible;
elle laisse la porte ouverte au démon, qui reviendra
vous tenter avec plus de violence.

Voici encore ce qui pourrait arriver. Je suppose
que vous avez pris la résolution de tout souffrir humblement; mais des compagnes peuvent venir vous
trouver et vous dire : Vous êtes une insensée ! il est
bon de ressentir les affronts. Oh ! pour l'amour de
Dieu, mes sœurs, qu'aucune d'entre vous ne se laisse
aller à une charité indiscrète et ne montre de la compassion pour des injures imaginaires. Votre charité res-
semblerait à celle qu'eurent pour le saint homme Job
ses amis et sa femme.

CHAPITRE XIV

Ce chapitre continue à traiter de la mortification,
et montre comment il faut fuir le point d'honneur
et les principes du monde pour arriver
à la véritable sagesse.

Je vous l'ai dit souvent, mes sœurs, et je veux maintenant le consigner dans cet écrit pour que vous n'en
perdiez point le souvenir; non seulement les religieuses de ce monastère, mais toutes les personnes qui
veulent tendre à la perfection, doivent fuir de mille
lieues des paroles comme les suivantes : " J'avais
raison; on m'a fait tort; celle qui m'a fait cela n'avait
pas raison. " Dieu nous préserve des mauvaises raisons ! Est-ce que par hasard il était juste que notre
bon Jésus souffrît tant d'injures, qu'on lui fît tant
d'affronts et tant d'outrages ? Si une religieuse ne

veut bien porter sa croix que dans la mesure où cela n'offense pas son bon droit, je me demande ce qu'elle fait dans un monastère. Qu'elle retourne dans le monde, où toutes ses prétentions ne la mettront pas non plus à l'abri de l'épreuve. Est-ce que vos souffrances seront si pénibles que vous n'en méritiez de plus grandes encore ? Quel motif avez-vous de vous plaindre ? Je n'en vois vraiment pas.

Lorsqu'on nous rend quelque honneur, ou qu'on nous traite avec attention et délicatesse, exposons nos raisons, car il est bien contre toute raison qu'on nous entoure d'égards en cette vie. Mais quant à ces affronts, ou à ce que nous appelons ainsi, puisqu'en vérité on ne nous en fait aucun, je ne vois pas pourquoi nous irions en parler.

Ou nous sommes les Épouses du grand Roi, ou nous ne le sommes pas. Si nous le sommes, est-il une femme d'honneur qui ne prenne sa part des outrages faits à son mari, malgré la répugnance qu'elle pourrait en éprouver ? Car enfin honneur et déshonneur sont communs entre eux. Si bien que prétendre à entrer au royaume de notre Époux et à jouir de ses délices, sans vouloir prendre sur soi la plus petite part des affronts et des souffrances qu'il a endurés, c'est de la folie pure. Plaise à Dieu que nous ne désirions jamais rien de pareil ! Celle d'entre nous qui se croira la moins estimée, doit se considérer comme la plus heureuse; et elle l'est, si elle supporte cette épreuve comme il faut. Elle ne manquera point d'être honorée ni en ce monde, ni en l'autre, vous pouvez m'en croire. Mais quelle folie est la mienne de dire que vous pouvez m'en croire quand la Sagesse infinie nous l'affirme ! Tâchons, mes filles, de retracer en quelque chose la profonde humilité de la très sainte Vierge dont nous portons l'habit. Je suis toute confuse quand je songe que nous nous appelons les religieuses de la Vierge; car malgré toute l'humilité que nous croyons avoir, nous sommes encore loin de ce qui convient pour être les dignes filles d'une telle mère et les dignes Épouses d'un tel Époux.

Nous devons donc couper court immédiatement aux imperfeĉtions dont j'ai parlé; sans cela, ce qui aujourd'hui ne semble rien, demain peut-être sera un péché véniel tellement dangereux, que si nous n'y veillons, il ne demeurera pas seul. C'eſt là une chose extrêmement funeſte dans les maisons religieuses. Nous devons donc veiller beaucoup sur nous-mêmes, nous qui vivons en communauté, pour ne point porter tort à celles qui travaillent à nous faire du bien et à nous donner le bon exemple. Si nous savions quel grave préjudice provient d'une mauvaise coutume, nous préférerions mourir plutôt que d'en être cause. Il ne s'agirait, après tout, que de la mort du corps; mais les ravages faits aux âmes sont quelque chose de très grave, et semblent se continuer sans fin. Aux religieuses qui meurent, il en succède d'autres; et il peut arriver qu'elles suivent plutôt une mauvaise coutume qui s'eſt introduite que de nombreux exemples de vertu. Pour la première, le démon ne la laisse point tomber; quant aux vertus, il suffit de notre faiblesse pour les perdre.

Oh ! quelle charité elle ferait, quels services elle rendrait à Dieu, la religieuse qui, se voyant incapable de suivre les usages de cette maison, se l'avouerait sincèrement et s'en irait du monaſtère ! Oui, qu'elle parte, si elle ne veut trouver un enfer en ce monde, et plaise à Dieu qu'elle n'en trouve pas un second dans l'autre ! Il y a beaucoup de raisons de craindre ce malheur; et peut-être que ni elle, ni les autres ne le comprendront aussi bien que moi.

Que l'on veuille m'en croire sur ce point, sinon le temps se chargera de me donner raison. Le but que nous poursuivons n'eſt pas seulement de vivre en religieuses, mais en ermites. Nous devons par conséquent nous détacher de toutes les créatures. Telle eſt précisément la grâce que le Seigneur accorde, comme je le conſtate, à celle qu'il a choisie pour cette maison en particulier. Le détachement de cette âme n'a pas encore atteint toute sa perfeĉtion; néanmoins, ce qui prouve qu'elle y tend c'eſt la paix profonde et l'allégresse que Dieu lui donne à la pensée qu'elle n'aura plus à s'occuper des choses du siècle, et la saveur qu'elle trouve dans tous les exercices de la religion.

Je le répète, que parte celle qui est portée vers les choses du monde, et que l'on ne voit pas réaliser de progrès; si néanmoins elle veut encore être religieuse, qu'elle entre dans un autre monastère, sans quoi elle verra ce qui lui arrivera. Mais qu'elle ne se plaigne pas de moi qui ai inauguré ce genre de vie dans cette maison [1], et qu'elle ne m'accuse point de ne l'avoir point prévenue.

Cette maison est un ciel, si tant est qu'il puisse y en avoir un sur la terre; mais c'est un ciel seulement pour les âmes qui s'appliquent uniquement à contenter Dieu, et qui ne se préoccupent pas de leur propre satisfaction. Leur vie est pleine de charmes. Voudraient-elles quelque chose en dehors de là, que non seulement elles ne pourraient l'avoir, mais qu'elles perdraient tout.

Une âme mécontente ressemble à quelqu'un qui est dégoûté de toute nourriture, si bonne qu'elle soit, et a en horreur les mets que ceux qui se portent bien prennent avec beaucoup d'appétit. Cette personne fera mieux son salut ailleurs; elle y arrivera peut-être peu à peu à la perfection qu'elle n'a pu supporter dans cette maison, parce qu'on l'embrasse tout d'un coup. Il est vrai, on accorde du temps pour que l'intérieur soit complètement détaché et mortifié; mais l'extérieur doit l'être sans retard. Si une sœur qui voit ce que font les autres et qui se trouve toujours en si excellente compagnie ne réalise pas de progrès en un an, je crains qu'elle n'en réalise pas davantage en plusieurs années, et qu'au lieu d'avancer, elle ne recule. Je ne dis pas que sa perfection doive égaler celle des autres; néanmoins il faut que l'on comprenne que son âme se fortifie. Mais quand le mal est mortel, on ne tarde pas à s'en apercevoir.

1. Saint-Joseph d'Avila.

CHAPITRE XV

Où l'on montre combien il est important de ne jamais admettre à la profession une personne dont les dispositions intérieures sont opposées à ce qui vient d'être dit.

Je regarde comme certain que Dieu ne manque pas de favoriser beaucoup une âme qui est fermement résolue d'être à lui. Voilà pourquoi, quand une personne veut entrer chez nous, il faut examiner le but qu'elle se propose; on doit voir, en outre, si elle ne cherche pas seulement à se tirer d'embarras, comme cela arrivera à un grand nombre. Le Seigneur peut évidemment corriger cette dernière intention, lorsque la personne jouit d'un bon jugement. Mais si elle en manque, on ne la recevra à aucun prix : elle ne comprendrait pas l'imperfection des vues qui l'auraient amenée, ni les avis des sœurs qui voudraient la guider dans une voie plus parfaite. En général, les personnes de cette sorte s'imaginent toujours mieux savoir ce qui leur convient que les plus sages. C'est là, à mon avis, un mal incurable, et il est bien rare qu'il ne soit pas accompagné de malice. Dans les monastères où les religieuses sont nombreuses, on pourrait le tolérer mais là où l'on est en si petit nombre, c'est impossible.

Une personne qui a un bon jugement commence-t-elle à s'affectionner au bien, elle s'y attache fortement; car elle voit que c'est là le plus sûr. Peut-être ne portera-t-elle pas les autres à une haute perfection spirituelle : elle pourra, du moins, leur donner un bon conseil et leur être utile dans une foule de circonstances ; elle ne sera une fatigue pour aucune des sœurs ; mais si elle manque de jugement, je ne vois pas de quelle utilité elle peut être dans une Communauté : elle pourrait au contraire lui être très nuisible.

Le manque de bon sens ne se voit pas tout d'abord. Il y en a beaucoup qui parlent bien et comprennent mal; d'autres qui parlent peu et assez mal, sont cependant capables de beaucoup de bien. On trouve des âmes chez qui la simplicité est alliée à la sainteté : elles s'entendent peu aux affaires et aux usages du monde, mais elles sont fort instruites dans l'art de traiter avec Dieu. Voilà pourquoi il faut se rendre bien compte des personnes avant de les recevoir, et les éprouver longtemps avant de les admettre à la profession. Donnez à entendre une bonne fois au monde que vous gardez la liberté de les renvoyer, et que dans un monastère où il y a des austérités, les motifs de le faire peuvent être nombreux. Quand on verra que c'est là un usage chez vous, on ne s'en offensera plus.

Je m'exprime de la sorte, à cause du malheur des temps et de notre extrême faiblesse : il ne nous suffit plus que nos ancêtres nous aient prescrit cette ligne de conduite pour mépriser ce que l'on regarde aujourd'hui comme une question d'honneur, par crainte de déplaire aux parents. Plaise à Dieu que nous ne soyons pas punies dans l'autre vie pour avoir admis de telles vocations ! car nous ne manquons jamais de prétextes pour nous persuader que c'était légitime. C'est là une affaire que chacune d'entre nous doit considérer en son particulier et recommander à Dieu. Nous devons, en outre, encourager la Supérieure à ne point manquer de fermeté dans une affaire de cette importance. Aussi je supplie Dieu de vous donner sa lumière. C'est un précieux avantage pour vous de ne point recevoir de dot. Là où on en reçoit, il peut arriver que, pour n'avoir pas à rendre l'argent qu'on a déjà dépensé, on garde dans le monastère le larron qui ravit le trésor; ce qui fait vraiment pitié. Pour vous, ne vous laissez émouvoir sur ce point par personne; ce serait porter tort à ceux que vous voulez favoriser.

CHAPITRE XVI

Ce chapitre traite du grand bien qu'il y a à ne point s'excuser même quand on se voit condamné sans être coupable.

Je suis toute confuse en songeant à la vertu que je veux vous conseiller; j'aurais dû au moins la pratiquer un peu, et je vous avoue que j'y ai réalisé très peu de progrès. Jamais, me semble-t-il, je ne manque de motifs pour me persuader qu'il y a plus de vertu à s'excuser. Cela est permis quelquefois, et alors il serait mal de garder le silence; mais je n'ai pas le discernement, ou, pour mieux dire, l'humilité voulue pour le faire quand il faut. C'est vraiment une grande humilité de se taire, lorsqu'on se voit condamné sans motif; car on marche bien alors sur les traces du Sauveur, qui s'est chargé de toutes nos fautes. Je vous conjure donc instamment de vous appliquer avec soin à la pratique de cette vertu qui apporte avec elle de précieux avantages. Ne cherchez point à vous excuser; vous n'en retireriez absolument aucun profit; nous devons excepter certains cas, où je le répète, vous causeriez soit du chagrin, soit du scandale en ne disant pas ce qui est. Mais pour connaître ces circonstances, il faut avoir meilleur jugement que moi.

A mon avis, il est très important de s'exercer à la pratique de cette vertu, ou de travailler à obtenir du Seigneur la véritable humilité qui doit la produire. Celui qui est véritablement humble doit avoir le désir sincère d'être méprisé, persécuté et condamné sans motif, même en choses graves. S'il veut imiter le Seigneur, en quoi peut-il mieux le faire ? Il ne faut pour cela ni forces corporelles, ni secours de personne, si ce n'est de Dieu.

Je voudrais, mes sœurs, que ces vertus solides fus-

sent l'objet de notre étude spéciale et de nos pénitences. Vous le savez déjà, je veille à ce que vous ne
tombiez point dans des pénitences excessives, car
elles peuvent nuire à la santé lorsqu'on s'y livre sans
discernement; quant aux vertus intérieures, il n'y
a rien à craindre; quelque rigides qu'elles soient,
elles n'affaiblissent pas le corps, et ne l'empêchent pas
de servir la Communauté; au contraire, elles fortifient
l'âme.En nous surmontant dans des choses même très
petites, nous nous habituons, comme je vous l'ai
dit d'autres fois, à remporter la victoire dans les grandes.
Pour moi, je n'ai pu faire cette épreuve dans des choses
importantes. Quand, en effet, j'ai entendu dire du mal
de moi, j'ai toujours trouvé qu'on en disait bien trop
peu; si l'on m'accusait faussement, j'avais cependant
offensé Dieu de bien des manières, et c'était beaucoup,
à mon avis, qu'on n'en parlât point; d'ailleurs je trouve
bien moins pénible de me voir accusée de fautes sup-
posées, que de m'entendre dire toutes mes vérités !

Ce qui aide beaucoup alors, c'est de considérer comment l'on se procure de très précieux avantages,
par quelque voie que ce soit, et comment, tout bien
considéré, on ne nous accuse jamais sans motif, car
nous sommes toujours remplis de fautes. Le juste
tombe sept fois par jour, et ce serait mentir que d'affirmer que nous sommes sans péché. Voilà pourquoi,
bien qu'on nous accuse à tort, nous ne sommes jamais
complètement exemptes de fautes, comme l'était le
bon Jésus.

O mon Seigneur, quand je vois combien de sortes
de tourments vous avez endurés et combien vous étiez
loin de les mériter, je ne sais que dire de moi. Je me
demande où j'avais l'esprit, lorsque je ne désirais pas
la souffrance; et j'ignore où j'en suis lorsque je me
disculpe. Vous savez, vous, ô mon Bien, que si je
possède quelque don, je ne l'ai pas reçu d'autres mains
que des vôtres. Vous en coûte-t-il plus de donner
beaucoup que de donner peu ? Si vous accordez vos
dons quand nous n'avons aucun mérite, j'avoue que
moi non plus, je n'ai point mérité les faveurs que

vous m'avez faites. Pourrais-je désirer que l'on dise
jamais de bien d'une créature aussi mauvaise que
moi, quand on dit tant de mal de vous, ô Bien au-dessus
de tous les biens ? Non, ce n'est pas possible, ce n'est
pas possible, ô mon Dieu. Je ne veux pas que vous le
souffriez, ni qu'il y ait rien en votre servante qui ne
plaise à vos regards. Considérez, Seigneur, que je suis
aveugle et que je me contente de faire bien peu à votre
service. Donnez-moi votre lumière et mettez en moi
le désir sincère d'être méprisée de toutes les créatures,
puisque je vous ai si souvent abandonné, vous qui
m'avez aimée avec tant de fidélité. Qu'est ceci, mon
Dieu ? Quel profit pensons-nous retirer à contenter les
créatures ? Alors même que toutes nous imputeraient
une foule de fautes, qu'importe, si aux yeux du Seigneur nous en sommes exemptes ?

O mes sœurs, nous n'arrivons jamais à comprendre
cette vérité : voilà pourquoi nous n'arriverons jamais
à être parfaites, si nous ne la considérons attentivement et si nous ne méditons sérieusement ce qui est
et ce qui n'est pas.

Quand il n'y aurait d'autre avantage pour la personne qui vous a accusées faussement que celui de la
confusion, si elle voit que vous vous laissez condamner
injustement, il serait énorme. Un tel acte élève parfois l'âme beaucoup plus que dix sermons. D'ailleurs,
nous devons toutes nous appliquer à prêcher par les
œuvres, puisque l'Apôtre et notre incapacité nous
interdisent de le faire par la parole. Ne vous imaginez
jamais que, malgré l'étroite clôture où vous pouvez
être, le bien ou le mal que vous ferez demeurera secret.
Pensez-vous, mes filles, que, si vous ne vous discul-
pez pas, il n'y aura personne pour prendre votre
défense ? Voyez comment le Seigneur a pris la défense
de Madeleine lorsqu'elle était dans la maison du Pharisien, ou qu'elle était accusée par sa sœur. Il n'aura
pas la même rigueur pour vous que pour lui-même,
car ce n'est qu'une fois sur la croix qu'il permit au
bon larron d'élever la voix en sa faveur. Aussi, il
inspirera à quelqu'un la pensée de vous disculper;

s'il ne le fait pas, c'est que ce ne sera pas nécessaire. Voilà ce que l'expérience m'a montré, et c'est la pure vérité. Toutefois ne songez point à cela; réjouissez-vous plutôt de vous voir accusées. Avec le temps, je vous l'assure, vous verrez quel profit en résulte pour votre âme. Elle commence alors à acquérir la liberté; elle ne se préoccupe pas plus qu'on dise du mal d'elle que du bien; il lui semble qu'on traite d'une affaire qui lui est étrangère. Quand deux personnes parlent entre elles, sans s'adresser à nous, nous ne nous préoccupons pas de leur répondre; ainsi en est-il dans le cas présent. Une fois que par l'habitude on s'est bien persuadé que l'on n'a pas à répondre, il semble que ce n'est pas à nous que l'on s'adresse. Cela nous paraîtra impossible, à nous qui sommes fort susceptibles et peu mortifiées. Dans les débuts, c'est chose ardue; mais, je le sais, on peut arriver à cette liberté d'esprit, à cette abnégation et à ce détachement avec la grâce de Dieu.

CHAPITRE XVII

De la nécessité de ce qui précède pour commencer
à pratiquer l'oraison.

Ne vous imaginez pas que tout cela soit beaucoup; je ne fais encore que préparer, comme on dit, les pièces du jeu sur la table. Vous m'avez demandé de vous exposer quel est le fondement de l'oraison. Pour moi, mes filles, bien que le Seigneur ne m'ait pas conduite par ce chemin, et sans doute je ne dois pas posséder le commencement même de ces vertus, je ne connais pas autre chose que ce que j'ai dit. Mais, croyez-moi, celui qui ne sait pas disposer les pièces au jeu d'échec jouera mal; s'il ne sait pas faire échec, il ne saura pas faire mat. Vous allez me blâmer, en m'entendant parler de jeu, dès lors que le jeu n'existe

pas ni ne doit exister dans cette maison. Voyez par
là quelle mère Dieu vous a donnée, puisque j'ai connu
même cette vanité; néanmoins ce jeu, dit-on, est
permis quelquefois; à plus forte raison nous sera-t-il
permis d'en adopter les règles, et si nous les appliquons scrupuleusement, nous ne tarderons pas à faire
mat au Roi divin ! Il ne pourra s'échapper de nos
mains; il ne le voudra même pas.

A ce jeu, c'est la dame qui lui fait le plus la guerre,
bien que toutes les autres pièces lui prêtent leur concours. Eh bien ! il n'y a pas de dame qui oblige le Roi
divin à se rendre, comme l'humilité. C'est elle qui l'a
fait descendre du ciel dans le sein de la Vierge; et
grâce à elle, nous l'attirerons dans nos âmes, aussi
doucement que par un de ses cheveux. Croyez-moi,
celle qui aura le plus d'humilité le possèdera davantage ;
celle qui en aura moins en jouira moins. Je ne puis
comprendre qu'il y ait et qu'il puisse y avoir de l'humilité sans amour, ni d'amour sans humilité; et il n'est
pas possible que ces deux vertus existent sans un
profond détachement de tout le créé.

Vous me demanderez peut-être, mes filles, pourquoi
je vous parle des vertus, quand vous avez tant de
livres qui en traitent, et que vous désirez seulement
que je vous entretienne de la contemplation. Je vous
réponds que, si vous m'aviez priée de vous parler de
la méditation, j'aurais pu le faire et donner à toutes
le conseil de ne point l'omettre, alors même que l'on
ne possèderait pas encore de vertus, parce que c'est
par là que l'on commence à les acquérir toutes. Il
est même de la plus haute importance pour tous les
chrétiens de s'y adonner. Il n'y a personne, si coupable
qu'il soit, qui doive la négliger dès que Dieu lui inspire
un tel bien. J'ai déjà écrit ailleurs sur ce sujet et beaucoup d'autres l'ont fait également, qui savent ce qu'ils
écrivent; car pour moi je l'ignore certainement;
c'est Dieu seul qui le sait.

Quant à la contemplation, mes filles, c'est autre
chose. Voici une erreur où l'on tombe généralement.
Quelqu'un s'applique-t-il chaque jour un instant à

penser à ses péchés, comme doit le faire quiconque n'est pas chrétien de nom seulement, qu'on l'appelle aussitôt un très grand contemplatif; et immédiatement on voudrait voir en lui les hautes vertus que doit posséder tout grand contemplatif; il croit lui-même les posséder, mais il se trompe, parce qu'il n'a pas su disposer à l'avance les pièces de son jeu. Il croyait que la connaissance seule des pièces suffirait pour faire mat; mais c'est là chose impossible, car ce roi dont nous parlons ne se livre qu'à ceux qui se livrent complètement à Lui.

CHAPITRE XVIII

Différence qu'il doit y avoir entre la vie parfaite
des contemplatifs et ceux qui se contentent de l'oraison
mentale. Dieu peut élever quelquefois une âme dissipée
à la contemplation parfaite : motif pour lequel
il agit ainsi. Importance de ce chapitre
et du suivant.

Si donc, mes filles, vous voulez que je vous parle du chemin qui vous mènera à la contemplation, permettez-moi de m'étendre un peu sur des points qui au premier abord ne vous paraîtront pas très importants, et qui cependant, à mon avis, le sont beaucoup. Si vous ne voulez ni les écouter ni les mettre en pratique, restez avec votre oraison mentale toute la vie. Mais je vous déclare, à vous et à toutes les personnes qui veulent posséder ce bien de la contemplation parfaite, que vous n'y parviendrez jamais; voilà ce que m'a appris une recherche qui a duré vingt ans, bien que je puisse me tromper, en jugeant des autres par moi-même.

Comme quelques-unes d'entre vous ne savent pas d'une manière précise ce que c'est que l'oraison mentale, je vais vous l'expliquer. Plaise à Dieu que nous

possédions cette oraison dans la perfection voulue !
Mais je crains encore que nous n'y arrivions difficile-
ment, si ce n'est par la pratique des vertus. Il n'est
pas nécessaire toutefois que les vertus soient aussi
élevées pour l'oraison mentale que pour la contemplation. Croyez-moi, le Roi de gloire ne viendra jamais
dans notre âme, j'entends pour s'unir à elle, tant que
nous ne nous efforcerons pas d'acquérir de solides
vertus. Je veux m'expliquer, car si vous surpreniez
dans mon langage quelque chose qui ne fût pas conforme à la vérité, vous ne me croiriez plus, et vous
auriez raison, si je le faisais sciemment. Mais que
Dieu m'en préserve ! si cela arrivait, ce serait parce que
je n'en sais pas davantage, ou que je ne comprends
pas ce dont je parle.

Je veux donc vous dire que Dieu veut quelquefois
accorder cette haute faveur à des âmes qui sont en
mauvais état, pour les tirer par ce moyen des mains du
démon.

O mon Seigneur, que de fois nous vous mettons aux
prises avec lui ! N'est-ce pas assez que vous vous soyez
laissé porter dans ses bras sur le pinacle du temple,
pour nous apprendre à le vaincre ? Quel spectacle,
mes filles ! Le Soleil divin près de l'esprit de ténèbres !
Quelle terreur devait éprouver ce malheureux esprit,
sans en connaître la cause, parce que Dieu ne le lui
permit pas ! Bénies soient une telle compassion et une
telle miséricorde ! Mais quelle ne devrait pas être notre
honte, à nous chrétiens, de le mettre tous les jours aux
prises, comme je l'ai dit, avec une bête si immonde !
Il était bien nécessaire, Seigneur, que vos bras fussent
tout-puissants ! Mais comment ne sont-ils pas demeu-
rés affaiblis après toutes les tortures que vous avez
endurées sur la Croix ? Oh ! comme tout ce que l'on
endure par amour se guérit facilement ! Aussi, je crois
que si vous aviez gardé la vie, l'amour même que vous
nous portiez eût suffi à guérir toutes vos plaies, il
n'était point nécessaire d'une autre médecine. O mon
Dieu, daignez appliquer cette médecine sur tout ce
qui me cause de la peine et du chagrin ! Que de grand

cœur je souhaiterais les souffrances, si j'étais assurée
d'en guérir par un remède si salutaire !

Je reviens à mon sujet. Dieu sent qu'il peut gagner
certaines âmes par le moyen dont j'ai parlé. Les
voyant complètement dissipées, il ne veut rien négliger pour les ramener à lui. Bien qu'il les trouve mal
disposées et dépourvues de vertu, il leur donne des
plaisirs, des délices, une tendresse qui commencera à
exciter leurs désirs. Il les élève quelquefois, mais rarement, à une contemplation qui d'ailleurs dure peu. Il
agit de la sorte, je le répète, pour voir, si à l'aide de
cette faveur elles voudront se disposer à jouir souvent
de sa présence; mais si elles ne le font pas, qu'elles me
pardonnent de le leur déclarer, ou plutôt, Seigneur,
pardonnez-nous : c'est un grand mal, quand vous vous
tournez vers elles de cette sorte, qu'elles osent se
tourner vers les choses de la terre pour s'y attacher.

Pour moi, je suis persuadée qu'il y en a beaucoup
que Dieu, Notre-Seigneur, éprouve de cette sorte, et
qu'il y en a peu qui se disposent à jouir de cette faveur.
Lorsque le Seigneur accorde cette grâce et que nous
ne négligeons rien pour y répondre, je regarde comme
certain qu'il ne discontinue pas de nous combler de
ses bienfaits, jusqu'à ce qu'il nous ait élevés à un très
haut degré. Si nous ne nous donnons pas à Sa Majesté
avec le même amour qu'elle se donne à nous, elle
nous accorde encore une grande grâce en nous laissant
dans l'oraison mentale et en nous faisant visite de temps
en temps, comme à des ouvriers de sa vigne. Quant aux
autres, ils sont traités en enfants bien-aimés. Le Seigneur ne voudrait pas qu'ils s'éloignent de lui; lui-
même ne s'en éloigne pas, parce que leur volonté est de
ne le point abandonner. Il les fait asseoir à sa table;
il leur donne à manger des mets dont il se nourrit; il
s'ôte même le morceau de la bouche pour le leur
donner.

O bienheureuse sollicitude, mes filles ! O bienheureux détachement de choses si viles et si basses qui nous
élève à un état si sublime ! Considérez-le bien; que vous
importera, une fois que vous serez entre les bras de

Dieu, que le monde entier vous condamne ? Il est puissant; et il peut vous délivrer de toutes les épreuves. Il n'a eu qu'à commander une seule fois que le monde fût, et le monde a été fait. Pour lui, vouloir c'est faire. Ne craignez pas qu'il consente à ce que l'on parle contre vous, à moins que ce ne soit pour votre plus grand bien; car il ne saurait répondre si médiocrement à l'amour qu'on a pour lui. Ainsi, mes sœurs, pourquoi ne lui montrerions-nous pas notre amour, autant qu'il dépend de nous ? Voyez plutôt combien nous gagnons au change : notre amour contre le sien ! Sachez qu'il peut tout et que nous n'avons de pouvoir qu'autant que Dieu nous en accorde. Or, qu'est-ce que nous faisons pour vous, ô Seigneur, qui nous avez créées ? Rien en vérité, puisque nous nous contentons d'une petite résolution. Mais, si Sa Majesté veut qu'avec ce qui n'est rien nous méritions le Tout, ne soyons donc pas insensées au point de ne pas l'écouter.

O Seigneur, tout notre mal vient de ce que nous n'avons pas notre regard fixé sur vous. Si nous ne regardions que le chemin, nous arriverions bientôt; mais nous faisons mille chutes, mille faux pas; nous nous trompons de route parce que nous ne tenons pas, je le répète, notre regard fixé sur le chemin véritable. On dirait que nous ne l'avons jamais suivi, tant il nous paraît nouveau. C'est une chose déplorable que de voir ce qui se passe parfois. Voir diminuer tant soit peu l'estime qu'on a de nous, cela ne se souffre point, ne doit pas même se souffrir; et nous voilà aussitôt proclamant que nous ne sommes pas des saints. Dieu nous préserve de dire, mes filles, lorsque nous ferons quelque chose d'imparfait : Nous ne sommes pas des anges, nous ne sommes pas des saintes ! Bien que nous ne le soyons pas, considérez quel avantage il y a à penser que nous pourrions le devenir avec l'aide de Dieu, si nous nous y appliquions. Ne craignez pas qu'il nous manque, si nous ne négligeons rien de notre part. Et puisque nous ne sommes pas venues ici pour un autre but, mettons-nous, comme on dit, à l'ouvrage. Il n'est rien que nous voyions de vraiment glorieux pour Dieu, que nous ne devions tenter d'accomplir avec sa grâce. Je voudrais que cette présomption régnât dans ce monastère ; elle fait toujours grandir l'humilité et acquérir une sainte hardiesse. Dieu assiste les âmes généreuses ; il ne fait aucune acception de personnes.

Me voilà bien loin de mon sujet. Je reviens donc à ce que je disais, et je vais vous expliquer ce qu'il faut entendre par oraison mentale et contemplation. Cela semble hors de propos ; mais vous souffrez tout de moi ; peut-être comprendrez-vous mieux mon langage grossier que le style élégant d'un autre. Daigne le Seigneur m'accorder la grâce qu'il en soit de la sorte ! Ainsi soit-il !

CHAPITRE XIX

Ce chapitre montre comment toutes les âmes
ne sont pas appelées à la contemplation,
comment quelques-unes y arrivent tard,
et comment celle qui est véritablement
humble doit s'avancer avec joie par le chemin
où le Seigneur la conduit.

Il vous semble que j'arrive enfin à traiter de l'oraison. Mais auparavant j'ai à vous parler quelque peu d'une chose très importante : elle concerne l'humilité et est nécessaire dans cet asile [1] dont le principal exercice est l'oraison. Comme je l'ai déjà dit, nous avons le plus grand intérêt à pratiquer sérieusement l'humilité. Le point que je veux vous exposer maintenant est capital pour l'exercice de cette vertu, et indispensable à toutes les personnes qui se livrent à l'oraison.

Comment l'homme véritablement humble pourra-t-il s'imaginer qu'il possède autant de vertu que ceux

1. Saint-Joseph d'Avila.

qui sont devenus contemplatifs ? Sans doute Dieu peut, dans sa bonté et sa miséricorde, le rendre tel; mais qu'il m'en croie, et se tienne toujours à la dernière place, comme nous l'a enseigné Notre-Seigneur par sa parole et par ses exemples. Qu'il se dispose néanmoins à la contemplation, dans le cas où Dieu voudrait le conduire par cette voie. Si telle n'est pas la volonté de Dieu, l'humilité sera alors sa ressource; l'âme s'estimera heureuse d'être la servante des servantes du Seigneur; elle bénira Sa Majesté de l'avoir appelée en leur compagnie, quand elle avait mérité d'être en enfer l'esclave des démons.

Je ne dis pas cela sans raison sérieuse, car, je le répète, il est très important de bien comprendre que Dieu ne conduit pas toutes les âmes par le même chemin; et celui qui se croit le plus vil est peut-être le plus élevé devant Dieu. Ainsi donc, bien que toutes les sœurs de ce monastère soient adonnées à l'oraison, il ne s'ensuit pas que toutes doivent être contemplatives. C'est impossible. Ce serait un chagrin immense pour celle qui ne le serait pas, si elle ne comprenait point cette vérité qu'un tel état est un pur don de Dieu, et n'est point nécessaire pour le salut; et puisque Dieu ne l'exige nullement comme prix de ses récompenses, elle peut être sûre que personne non plus ne s'avisera de l'exiger d'elle. Elle pourra, sans ce don, être très parfaite si elle accomplit ce que j'ai dit; peut-être même aura-t-elle beaucoup plus de mérite, parce qu'elle travaille plus à ses dépens. Le Seigneur la traite comme une âme forte et lui réserve pour les lui donner toutes à la fois les consolations dont elle aura été privée sur la terre. Aussi ne doit-elle point se décourager, ni abandonner l'oraison, ni omettre de faire comme les autres; parfois le Seigneur vient tard, mais alors il paie bien et il donne autant en une seule visite qu'il a donné peu à peu à d'autres en plusieurs années. Pour moi, je suis restée plus de quatorze ans sans pouvoir même méditer, si ce n'est à l'aide d'un livre, et sans doute beaucoup de personnes sont-elles dans ce cas. Il y en a d'autres qui n'y réussissent pas

même par ce moyen. Elles ne peuvent prier que vocalement; cela fixe mieux leur attention. Quelques-unes
ont l'esprit si léger qu'elles ne sauraient se concen-
trer sur un sujet; leur pensée est si instable que, dès
qu'elles veulent l'arrêter sur Dieu, elles tombent
dans mille rêveries puis mille scrupules et mille doutes.

Je connais une personne très âgée, qui mène une
vie très sainte. Elle est très pénitente et grande servante de Dieu. Depuis de longues années elle consacre
chaque jour plusieurs heures à l'oraison vocale;
quant à l'oraison mentale, elle n'a jamais pu la faire.
Le plus dont elle soit capable, c'est de se fixer peu à
peu à ce qu'elle récite vocalement. Il y a beaucoup de
personnes dans ce cas. Lorsqu'elles sont humbles,
elles ne sont pas plus mal partagées à la fin que celles
qui auront été comblées de consolations; elles rece-
vront tout autant. Elles auront marché en quelque
sorte avec plus de sécurité. Nous ne savons pas, en
effet, si ces consolations viennent de Dieu, ou du démon.
Si elles viennent du démon, elles sont très dangereuses,
parce que son but est de nous inspirer de l'orgueil.
Si elles viennent de Dieu, nous n'avons rien à craindre;
car elles apportent avec elles l'humilité, comme je
l'ai exposé longuement dans l'autre livre [1].

Les âmes qui sont privées de telles consolations se
tiennent dans l'humilité. Elles craignent qu'il n'y ait
eu de leur faute et elles s'appliquent toujours à réaliser
des progrès. Voient-elles les autres répandre une
seule larme, elles s'imaginent que, n'en répandant
point elles-mêmes, elles sont fort en retard dans le
service de Dieu; mais peut-être seront-elles beaucoup
plus avancées que les autres. Les larmes, quelque
bonnes qu'elles soient, ne sont pas toutes parfaites.
L'humilité, la mortification, le détachement et les
autres vertus offrent toujours plus de sécurité, et
n'exposent à aucun danger. Soyez donc sans crainte;
vous pouvez arriver à la perfection comme les plus
hauts contemplatifs.

1. Le livre de sa *Vie*, chap. XVII, XIX, XXVIII.

Sainte Marthe ne laissait pas d'être une sainte, bien qu'on ne dise pas qu'elle fût contemplative. Que prétendez-vous de plus que de ressembler à cette bienheureuse sainte, qui a mérité de recevoir tant de fois dans sa demeure Notre-Seigneur Jésus-Christ, de lui donner à manger, de le servir, de manger à sa table ? Si vous restiez en contemplation comme Madeleine, il n'y aurait personne pour donner à manger à cet Hôte divin. Eh bien ! représentez-vous que ce monastère qui nous abrite est la maison de Marthe, et qu'il y faut un peu de tout. Les sœurs qui sont conduites par la vie active ne murmureront point contre celles qui sont très absorbées dans la contemplation ; elles savent, en effet, que le Seigneur prendra leur défense, quand bien même elles se tairaient, et qu'en général il les porte à l'oubli d'elles-mêmes et de tout le reste. Elles doivent se souvenir qu'il en faut une au moins parmi elles pour lui préparer son repas. Qu'elles s'estiment heureuses de le servir comme Marthe ; qu'elles considèrent que la véritable humilité consiste beaucoup à accepter promptement et avec joie ce qu'il plaît au Seigneur d'ordonner à notre égard, et à nous considérer comme indignes d'être appelées ses servantes. Mais si la contemplation, si l'oraison soit mentale, soit vocale, si le soin des malades, les divers offices de la maison et le travail même le plus vil, si tout cela est un moyen de servir l'Hôte qui vient loger, manger et prendre son repos chez nous, que nous importe d'avoir tel ou tel emploi ?

Je ne dis pas que la contemplation dépende de nous, mais que nous ne devons négliger aucun devoir. La contemplation, en effet, ne dépend pas de notre choix ; elle est un don du Seigneur. S'il lui plaît de laisser après de longues années chacune de nous dans l'office où elle est, voyez la belle humilité que de vouloir l'échanger pour un autre. Laissez faire le Maître de la maison. Sage et puissant comme il est, il sait ce qui vous convient et ce qui lui convient à lui-même. Faites ce qui est en votre pouvoir, disposez-vous à la contemplation avec toute la perfection dont il a été parlé, et soyez-en assurées, il ne manquera pas, à mon avis, de vous accorder ce don si vous avez vraiment du détachement et de l'humilité. S'il ne vous l'accorde pas, c'est qu'il vous réserve cette joie tout entière pour le ciel; ainsi que je vous l'ai déjà dit, il vous traite comme des âmes fortes : il vous donne ici-bas la Croix, comme Sa Majesté elle-même l'a toujours portée. Quelle meilleure preuve d'amitié peut-il nous montrer que de vouloir pour nous ce qu'il a voulu pour lui ? Et peut-être aurions-nous moins de mérite si nous étions élevées à la contemplation. Ce sont là des jugements de Dieu, et nous n'avons pas à nous en occuper. C'est très heureux que le choix de notre voie ne dépende pas de nous; sans quoi, comme celle de la contemplation semble renfermer plus de paix, nous voudrions tous, à coup sûr, être de grands contemplatifs. Oh ! le précieux avantage que de ne point chercher un gain d'après nos propres vues ! Nous n'avons alors aucune perte à redouter; car Dieu ne permet jamais à l'âme vraiment mortifiée d'en éprouver aucune, si ce n'est afin de lui faire gagner plus de mérite.

CHAPITRE XX

Ce chapitre continue le même sujet ;
il montre combien les travaux des contemplatifs
surpassent ceux des âmes qui sont dans la vie
active, ce qui est pour elles un grand
sujet de consolation.

Je vous dis donc, mes filles, à vous que Dieu ne conduit pas par ce chemin, que les contemplatifs, d'après ce que j'ai vu et compris, ne portent pas une croix plus légère que vous. Vous seriez étonnées si vous saviez par quelles voies et par quelles épreuves Dieu les fait passer. Je connais les deux états. Je sais très bien que les travaux que Dieu envoie aux contemplatifs sont intolérables; ils sont de telle sorte qu'on ne pourrait les supporter si Dieu ne donnait à savourer ses délices. Il est clair qu'il en doit être ainsi. Dieu, en effet, conduit ceux qu'il aime par la voie des épreuves; et plus il les aime, plus il leur envoie d'épreuves. Ne nous imaginons donc pas qu'il a en horreur les contemplatifs, puisqu'il les loue de sa propre bouche et les regarde comme ses amis. Mais il serait absurde de croire qu'il admet dans son intimité ceux qui vivent dans les délices et qui ne portent pas la croix. Je suis persuadée qu'il leur envoie des épreuves bien plus lourdes qu'aux autres. Comme Dieu les fait passer par un chemin abrupt et rude, au point qu'ils s'imaginent parfois s'être égarés et devoir revenir sur leurs pas pour recommencer leur route, Sa Majesté doit alors les fortifier, non avec de l'eau, mais avec un vin qui les enivre et qui, en leur faisant perdre conscience, leur permette de supporter toutes les épreuves. Aussi je vois peu de vrais contemplatifs que je ne trouve pleins de courage et résolus à souffrir; car la première chose que fait le Seigneur, s'il les trouve faibles, c'est de leur donner du courage et de les rendre intrépides au milieu de toutes les croix.

Ceux qui sont adonnés à la vie active s'imaginent, dès qu'ils sont témoins de quelques faveurs accordées aux contemplatifs, que ces âmes sont toujours dans la jubilation. Pour moi, je vous assure qu'ils ne pourraient peut-être pas souffrir un seul jour ce qu'elles endurent. Mais comme le Seigneur sait ce qu'il nous faut, il donne à chacun de nous l'office qu'il juge convenir davantage à l'âme, à sa propre gloire et au bien du prochain. Pourvu que votre préparation soit bonne, votre travail, soyez-en assurées, ne sera pas perdu. Considérez bien ce que je dis. Nous devons toutes nous efforcer d'atteindre ce but, car nous ne sommes pas ici pour autre chose; travaillons-y donc, non pas seulement une année ou deux, ni même dix, mais persévérons-y encore, pour ne pas avoir l'air de l'abandonner par lâcheté. Prouvons au Seigneur que nous ne négligeons rien pour l'atteindre. Les soldats, malgré les services nombreux qu'ils ont déjà rendus, doivent être toujours prêts à exécuter les ordres de leur capitaine, quels qu'ils soient; car c'est de lui qu'ils doivent recevoir leur paye. Mais combien est supérieure à la solde que donnent les rois de la terre, celle que donne notre Roi !

Voyant donc les soldats présents et désireux de le servir, le capitaine, qui connaît d'ailleurs leurs aptitudes, leur distribue les emplois d'après leur valeur respective; s'il ne les trouvait pas présents, il ne leur confierait aucune charge, et ne leur demanderait aucun service.

Ainsi donc, mes sœurs, appliquons-nous à l'oraison mentale; celles qui ne pourront faire cette oraison se livreront à la prière vocale, à la lecture et à des entretiens avec Dieu, comme je le dirai plus loin. Mais ne laissez point les heures d'oraison qui sont fixées pour toutes. Vous ne savez pas à quel moment l'Époux vous appellera; craignez donc le sort des vierges folles. Vous ignorez, en outre, si l'Époux ne voudra pas vous réserver de plus grandes croix qu'il vous fera trouver douces par les consolations dont il vous comblera. S'il ne le fait pas, sachez que vous n'y êtes pas aptes et qu'il vous convient de continuer la prière vocale; vous mériterez alors en vous humiliant et en croyant sincèrement que vous êtes même inférieures à l'emploi que vous remplissez. Soyez pleines de joie d'accomplir ce qui vous est commandé, comme je l'ai dit, et que votre humilité soit sincère. Bienheureuses les servantes de la vie active qui la possèdent ! et qui ne se plaindront que d'elles-mêmes. Laissez donc aux autres leurs propres combats, qui ne sont pas une mince affaire.

Voyez le porte-drapeau dans les batailles. Il ne se bat point; mais il ne laisse pas pour cela de courir de grands dangers. Il doit souffrir intérieurement plus que tous les autres, parce que, comme il porte l'étendard, il ne peut parer les coups, il doit se laisser mettre en pièces plutôt que de le lâcher.

Ainsi les contemplatifs doivent arborer l'étendard de l'humilité et supporter tous les coups qu'on leur donne, sans en rendre aucun; leur office est de souffrir

comme le Christ, de tenir toujours la croix bien haut,
sans jamais l'abandonner, malgré les dangers où ils
sont, ni montrer la moindre faiblesse au milieu de leurs
souffrances. C'est dans ce but que Dieu leur a confié
un poste si glorieux. Qu'ils prennent donc garde à
eux, car s'ils abandonnent le drapeau, la bataille est
perdue; et ils portent, à mon avis, un grave préjudice
aux âmes moins élevées, qui devraient les considérer
comme leurs capitaines et les amis de Dieu, et qui
remarquent alors que leurs œuvres ne correspondent
plus à leur office. Que de simples soldats s'en tirent
comme ils peuvent; parfois même ils s'éloignent des
endroits les plus dangereux : personne ne s'en aperçoit,
et ils ne perdent pas l'honneur pour cela. Mais pour
les chefs, ils sont le point de mire de tout le monde;
ils ne peuvent bouger sans qu'on les remarque. Sans
doute, leur office est beau et honorable; celui-là
reçoit une haute faveur qui en est investi par le roi;
mais ce n'est pas une petite obligation qu'il s'impose
en l'acceptant.

Ainsi, mes sœurs, puisque nous ne savons ce que
nous demandons, laissons donc Dieu agir lui-même;
n'imitons pas ces personnes qui semblent réclamer de
lui des faveurs, comme s'il était tenu en justice de les
accorder. Étrange manière de pratiquer l'humilité !
Aussi Celui qui nous connaît tous a-t-il raison de n'en
accorder que rarement à ces âmes. Il voit avec évidence qu'elles ne sont pas préparées à boire son calice.

Voulez-vous savoir, mes filles, si vous êtes vraiment
avancées dans la vertu ? Que chacune d'entre vous
examine si elle se croit la plus misérable de toutes,
et si elle le manifeste par des œuvres qui portent les
autres dans la voie du progrès et du bien. La plus
parfaite n'est point celle qui goûte le plus de suavité
dans l'oraison et qui reçoit de Dieu des ravissements,
des visions ou des faveurs de ce genre. Attendons
plutôt d'être dans l'autre monde pour en connaître
la valeur. L'humilité, au contraire, c'est une monnaie
qui a cours, un revenu qui ne fait jamais défaut, une
rente perpétuelle et non une redevance remboursable

à volonté [1], comme ces faveurs extraordinaires, qu'on nous donne et qu'on peut nous retirer. Notre vrai trésor consiste dans une humilité profonde, une mortification sincère, et une obéissance telle que l'on ne s'écarte pas d'une ligne de ce que commande le Supérieur, car il tient la place de Dieu; et c'est vraiment Dieu, vous le savez, qui nous commande par son intermédiaire.

C'est surtout l'obéissance que je devrais recommander, puisque sans elle, à mon avis, il n'y a pas de vraie religieuse, mais je n'en parlerai point, dès lors que je m'adresse à des religieuses qui me semblent vraiment bonnes, ou du moins qui désirent l'être. Je ne me permets qu'un mot sur un point si connu et si important; ainsi vous ne l'oublierez point.

Voilà une personne qui est soumise par vœu à l'obéissance, et elle y manque en n'apportant pas tous ses soins à s'y bien conformer. Pourquoi habite-t-elle dans un monastère? Je n'en sais vraiment rien. Cependant je puis lui assurer que, tant qu'elle manquera à son vœu, elle n'arrivera jamais à être contemplative, ni même à bien remplir les devoirs de la vie active. Cela me paraît absolument certain. Supposons même qu'il s'agisse d'une personne qui n'a pas fait vœu d'obéissance; si elle veut, ou si elle prétend arriver à la contemplation, elle doit, pour être bien assurée de sa voie, remettre complètement sa volonté entre les mains d'un confesseur expérimenté. C'est une chose connue, en effet, que l'on réalise plus de progrès par ce moyen en un an, que sans lui en plusieurs années. Mais comme cet avis n'est pas pour vous, il est inutile de m'y arrêter plus longtemps.

Je conclus donc, mes filles, en vous disant que les vertus dont je viens de parler sont celles que je désire voir en vous, celles que vous devez rechercher et ambitionner saintement. Quant aux faveurs ou dévotions dont il a été parlé, ne vous affligez pas si vous en êtes

---

1. Le *juro* est en soi une rente perpétuelle, mais le *censo* se rachète facilement.

privées. Elles ne conſtituent pas un bien certain. Chez
d'autres personnes, peut-être, elles seront un don de
Dieu; mais en vous, elles pourraient être, par une permission de Sa Majeſté, une illusion du démon qui vous
tromperait comme il en a trompé d'autres. Et puisqu'il
s'agit d'une chose douteuse, pourquoi la désireriez-
vous, quand vous avez tant de moyens de servir Dieu
d'une manière sûre ? Pourquoi vous exposeriez-vous
à un pareil danger ?

Je me suis beaucoup étendue sur ce point, parce que
cela convient, ce me semble, vu la faibleſſe de notre
nature. Mais Dieu sait la fortifier, quand il lui plaît de
nous élever à la contemplation. S'il ne vous y élève
pas, ce sera, du moins, une joie pour moi de vous avoir
donné ces avis dont les contemplatifs eux-mêmes pourront tirer profit pour s'humilier. Que le Seigneur dans
sa bonté daigne nous accorder sa lumière, pour que
nous suivions en tout sa volonté, et nous n'aurons
rien à craindre !

CHAPITRE XXI

Ce chapitre commence à traiter de l'oraison,
et s'adresse aux âmes qui ne peuvent discourir
avec l'entendement.

Il y a longtemps que j'ai écrit ce qui précède, sans
avoir jamais eu le loisir de le continuer. Si je voulais
savoir ce que j'ai dit, je devrais me relire; mais pour
ne pas perdre de temps, je continuerai comme je
pourrai, sans me préoccuper de mettre une liaison avec
ce qui précède.

Les personnes qui ont un jugement rassis, qui sont
déjà exercées à la méditation et peuvent se recueillir,
ont à leur disposition une foule de livres excellents,
composés par des auteurs de mérite. Celles d'entre vous
qui sont dans ce cas se tromperaient donc si elles fai-

saient quelque cas de ce que je vais dire sur l'oraison. Elles ont en effet sous la main des livres qui leur retracent pour chaque jour de la semaine les mystères de la vie et de la Passion de Notre-Seigneur, des méditations sur le jugement, sur l'enfer, sur notre néant et sur nos grandes obligations envers Dieu; les uns et les autres renferment une doctrine et une méthode excellentes en ce qui concerne le fondement et le but de l'oraison[1]. Je n'ai rien à dire à celles qui suivent ce genre d'oraison, ou qui y sont déjà habituées. Par un chemin aussi sûr, le Seigneur les conduira au port de la lumière, et des commencements aussi bons les amèneront à une fin excellente. Quiconque suivra cette voie trouvera repos et sécurité : quand la pensée a une assiette stable, on connaît une paix entière.

Mais il est un point dont je voudrais parler, afin de donner quelques conseils, si le Seigneur m'en accorde la grâce. S'il ne me l'accorde pas, je voudrais du moins vous faire comprendre que beaucoup d'âmes souffrent du tourment dont je vais parler, afin que vous ne vous attristiez point dans le cas où vous seriez de ce nombre.

Il y a des âmes dont l'esprit est très instable; elles ressemblent à des chevaux qui ne sentent plus le frein et qu'on ne saurait arrêter. Elles vont ici ou là, et sont toujours dans l'agitation, soit que cela provienne de leur nature, soit que Dieu le permette ainsi. J'en suis touchée de la plus vive compassion. On dirait des personnes desséchées par une soif brûlante qui aperçoivent au loin une source d'eau vive et qui, quand elles veulent en approcher, trouvent des ennemis qui leur en barrent l'accès au commencement, au milieu et au bout du chemin qui y conduit. Il arrive qu'à force de lutter, et lutter ferme, elles triomphent des premiers ennemis; mais elles se laissent vaincre par les seconds, et elles aiment mieux mourir

---

1. La Sainte doit faire ici illusion aux livres sur l'oraison qu'elle désigne au chap. II de ses *Constitutions* primitives : le *Chartreux*, les livres de Louis de Grenade, de saint Pierre d'Alcantara, de Jean d'Avila, etc. Peut-être pense-t-elle aussi aux *Exercices Spirituels* de saint Ignace.

de soif que de lutter encore pour boire une eau qui doit leur coûter si cher. Elles cessent tout effort; elles perdent courage. D'autres âmes qui ont assez de valeur pour vaincre les seconds ennemis, n'en ont plus aucune devant les troisièmes, et peut-être n'étaient-elles plus qu'à deux pas de la source d'eau vive dont Notre-Seigneur a dit à la Samaritaine : Celui qui en boira n'aura plus jamais soif.

Oh ! qu'elle est juste, qu'elle est vraie, cette parole prononcée par Celui qui est la Vérité même ! L'âme qui boit de cette eau n'a plus soif des choses de cette vie; elle sent en elle une autre soif qui va croissant pour les choses de l'autre vie et dont la soif naturelle ne saurait nous donner la moindre idée. Mais qui dira combien l'âme est altérée de cette soif ! Car elle en comprend tout le prix, et bien que cette soif soit un supplice terrible, elle apporte avec elle une suavité qui est son propre apaisement. Elle ne tue point; elle éteint seulement le désir des choses de la terre, et rassasie l'âme des biens célestes. Quand Dieu daigne étancher la soif avec cette eau, une des plus grandes grâces qu'il puisse accorder à l'âme, c'est de la laisser encore tout altérée. Chaque fois qu'elle boit de cette eau, elle désire toujours plus ardemment en boire encore.

Parmi les nombreuses propriétés que doit avoir l'eau, il y en a trois qui se présentent maintenant à mon esprit et qui conviennent à mon sujet. L'une, c'est de rafraîchir. Quelle que soit la chaleur que nous ayons, elle disparaît dès que nous nous mettons à l'eau. Un grand feu même ne résiste pas à son action — si ce n'est celui qui, étant produit par le goudron, n'en devient que plus actif. O grand Dieu ! quelle merveille qu'un feu qui s'enflamme davantage par l'eau quand il est fort, puissant et au-dessus des éléments, car l'eau qui lui est opposée, loin de l'éteindre, l'active encore plus ! Ce me serait un grand secours de pouvoir m'entretenir ici avec quelqu'un qui sût la philosophie et qui me rendît compte de la propriété des choses. Je pourrais alors m'expliquer sur ce sujet qui m'émerveille. Mais je ne sais comment l'exposer, et peut-être même que je ne l'ai pas bien compris.

Lorsque Dieu vous appellera, mes sœurs, à boire de cette eau, en compagnie de celles d'entre vous qui jouissent déjà d'une pareille faveur, vous goûterez ce que je dis. Vous comprendrez comment le véritable amour de Dieu, s'il est fort, s'il est libre des choses de la terre et plane au-dessus d'elle, est incontestablement le maître des éléments et du monde. Quant à l'eau qui tire son origine d'ici-bas, soyez sans crainte, elle n'éteindra pas ce feu de l'amour de Dieu. Ce n'est point là son affaire, bien qu'elle lui soit opposée; car ce feu est déjà maître absolu et il ne lui est soumis en rien. Ne vous étonnez donc point, mes sœurs, si j'ai tant insisté dans ce livre pour vous stimuler à acquérir une telle liberté.

N'est-ce pas une chose merveilleuse qu'une pauvre sœur de Saint-Joseph puisse arriver à exercer son empire sur la terre et les éléments ? Quoi d'étonnant que les saints en aient disposé à leur gré, avec la grâce de Dieu ? Saint Martin voyait le feu et les eaux lui obéir. Saint François commandait même aux oiseaux et aux poissons. Beaucoup d'autres saints ont eu le même pouvoir. On comprenait clairement qu'ils n'avaient tant d'empire sur toutes les choses de la terre, que parce qu'ils s'étaient appliqués à les mépriser et s'étaient soumis eux-mêmes de tout leur cœur et de toutes leurs forces au souverain Maître du monde. Ainsi donc, je le répète, l'eau qui jaillit d'ici-bas n'a aucun pouvoir contre ce feu de l'amour divin. Les flammes de ce dernier sont trop hautes; il ne prend pas son origine dans une chose si basse.

Il y a d'autres feux qui proviennent d'un faible amour de Dieu. Le premier accident les éteint. Mais il n'en est pas de même de celui dont je parle. La mer tout entière des tentations viendrait-elle à se précipiter sur lui, qu'il continuerait à brûler et les maîtriserait. Si l'eau qui tombe sur lui descend du ciel, elle saurait encore moins l'éteindre, car cette eau et ce feu ne sont point opposés. Ils sont du même pays. Ne craignez pas

qu'ils se fassent aucun mal; chacun de ces deux éléments contribuera, au contraire, à l'effet de l'autre.
Car les larmes qui coulent à l'heure de la véritable
oraison sont une eau qui, envoyée par le Roi du ciel,
active ce feu et le fait durer. A son tour, ce feu aide
l'eau à rafraîchir. O grand Dieu, quel spectacle !
quelle merveille ! Un feu qui rafraîchit ! Eh oui, il en
est ainsi. Il glace même toutes les affections du monde,
quand il est arrosé par les eaux vives du ciel, je veux
dire, par cette source d'où découlent les larmes dont
je viens de parler, larmes qui sont un pur don, et non
le fruit de notre industrie.

Il est donc bien clair que cette eau nous enlève toute
fièvre et toute affection pour les choses du monde. Elle
nous empêche, en outre, de nous y arrêter, à moins
que ce ne soit pour chercher à embraser les autres de
ce feu; car ce feu ne se contente pas de sa nature d'agir
dans une sphère étroite; il voudrait, si c'était possible,
consumer le monde tout entier.

La seconde propriété de l'eau est de laver ce qui
est sale. Sans eau pour nettoyer, dans quel état serait
le monde ! Or, sachez-le, il y a autant de vertu dans
cette eau vive, cette eau céleste, cette eau claire, quand
elle est très limpide et sans aucune fange, et qu'elle
tombe du ciel; il suffit d'en boire une seule fois, et
je regarde comme certain qu'elle rend l'âme nette
et pure de toutes ses fautes. Car, ainsi que je l'ai
dit [1], cette eau, je veux dire l'oraison d'union, est
une faveur entièrement surnaturelle qui ne dépend
point de notre volonté. Dieu ne la donne à l'âme
que pour la purifier, la rendre nette, et la délivrer
de toute la fange ainsi que de toutes les misères où ses
fautes l'avaient plongée.

Les douceurs dont nous jouissons par l'entremise
de l'entendement dans la méditation ordinaire seront,
malgré tout, comme une eau qui coule sur la terre.
On ne la boit pas à sa source même; elle rencontre
forcément des impuretés sur sa route, auxquelles

1. Livre de sa *Vie*, chap. XIX.

nous nous arrêtons; elle n'est plus aussi pure ni aussi
limpide. Le nom d'eau vive ne convient donc pas,
d'après moi, à cette oraison que l'on fait lorsque l'on
discourt à l'aide de l'entendement; car l'âme a beau
faire des efforts, elle s'attache toujours, malgré elle,
à quelque chose de terrestre, entraînée qu'elle est par
son corps et la bassesse de sa nature.

Je veux expliquer davantage ma pensée. Nous méditons sur le monde ou la fragilité de ses biens pour les
mépriser; et, sans nous en douter, nous nous occupons
de plusieurs choses qui nous plaisent en lui. Nous sou-
haitons les fuir, mais nous nous arrêtons au moins
quelque peu à la pensée de ce qui a été, ou sera, de
ce que nous avons fait ou de ce que nous ferons; il en
résulte alors qu'en songeant à nous délivrer du danger,
nous nous y exposons parfois de nouveau. Ce n'est
pas à dire qu'il faille renoncer à ces considérations;
mais il faut nous tenir dans la crainte et ne pas cesser
d'être sur nos gardes.

Ici, dans l'oraison surnaturelle, le Seigneur se
charge de ce soin, parce qu'il ne veut pas se fier à nous
sur ce point. Telle est l'estime qu'il a de notre âme que,
dans le temps où il lui réserve quelque faveur, il ne
la laisse pas se mêler de choses capables de nuire à
son progrès. Dans l'espace d'un instant, il la met à
ses côtés, et lui révèle plus de vérités, lui communique
sur toutes les choses du monde des connaissances plus
claires qu'elle n'aurait pu en acquérir après bien des
années, parce que notre vue n'est pas dégagée et que
nous sommes aveuglés par la poussière de la marche.
Mais dans l'oraison surnaturelle, le Seigneur nous
transporte au but de notre course, sans que nous
sachions comment.

L'autre propriété de l'eau consiste à nous désaltérer
et à étancher notre soif. La soif, en effet, exprime,
ce me semble, le désir d'une chose dont le besoin est
tellement pressant que nous mourons si nous en
sommes privés. Chose étrange, si l'eau nous manque,
c'est la mort; et d'un autre côté, si nous en buvons
avec excès, c'est encore la mort : car c'est ainsi que

meurent beaucoup de noyés. O mon Seigneur ! Que ne m'est-il donné d'être engloutie dans cette eau vive, pour y perdre la vie ! Mais comment ? est-ce que cela est possible ? Oui. Notre amour pour Dieu, notre désir de Dieu peuvent grandir à tel point que notre nature y succombe; aussi y a-t-il des personnes qui en sont mortes. Pour moi, j'en connais une qui eût été dans ce cas si Dieu ne s'était empressé de la secourir en lui donnant de cette eau vive avec tant d'abondance qu'il la tira pour ainsi dire hors d'elle-même pour la faire entrer dans le ravissement[1]. Je dis qu'il la tira en quelque sorte hors d'elle-même, parce qu'elle trouve alors le repos qu'elle désire. Il lui semble étouffer, tant elle éprouve d'aversion pour le monde, et elle ressuscite en Dieu; Sa Majesté la rend alors capable de jouir d'un bien qu'elle n'aurait pu posséder sans mourir, si elle n'eût été élevée dans le ravissement. Vous comprendrez par là que s'il n'y a rien en notre souverain Bien qui ne soit parfait, il ne nous donne rien qui ne soit pour notre avantage. Il peut donner l'eau en très grande abondance, car il n'y a jamais d'excès dans ce qui vient de sa main. S'il en donne beaucoup, il rend l'âme apte, comme je l'ai dit, à en boire beaucoup, semblable au verrier qui donne au vase la capacité nécessaire pour contenir ce qu'il veut y mettre.

Quant au désir, comme il vient de nous, il n'est jamais sans quelque imperfection; s'il contient quelque chose de bon, il le doit à l'assistance de Notre-Seigneur; et comme nous manquons de discernement, la peine où nous sommes étant suave et pleine de délices, nous croyons ne pouvoir jamais nous rassasier de cette peine. Nous prenons cette nourriture sans mesure; nous excitons encore ce désir autant que nous le pouvons; et quelquefois on en meurt. Heureuse mort, certes ! mais si l'on avait continué à vivre, on eût peut-être aidé d'autres personnes à mourir du désir de cette mort. Selon moi, nous devons

---

1. Sainte Thérèse parle ici d'elle-même. Cf. *Vie*, chap. xx.

redouter les ruses du démon. Il voit les dommages que des personnes de cette sorte lui occasionneront en restant sur la terre. Il les tente et les pousse à des mortifications inopportunes pour ruiner leur santé; c'est là un grand point pour lui.

L'âme qui sera arrivée à cette soif ardente de Dieu doit donc se tenir avec soin sur ses gardes, parce qu'elle aura cette tentation; si elle ne meurt pas de cette soif, elle ruinera sa santé. Elle laissera malgré elle transpirer au dehors les sentiments qui l'animent et qu'elle devrait à tout prix tenir secrets. Parfois ses efforts seront inutiles, et elle ne pourra les tenir aussi cachés qu'elle le voudrait. Néanmoins, elle doit prendre garde à ne pas exciter ces ardents désirs pour ne pas les augmenter, et y couper court doucement par quelque autre considération. Peut-être notre nature elle-même se montrera-t-il parfois aussi active que l'amour de Dieu, car il y a des personnes qui se portent avec une extrême ardeur vers tout ce qu'elles désirent, alors même que ce serait quelque chose de mauvais; celles-là, à mon avis, ne sont pas très conformes à la mortification, qui pourtant nous est utile en tout. Mais ne semble-t-il pas déraisonnable de mettre un frein à une chose si excellente ? Non, car je ne dis pas qu'il faille étouffer ce désir, mais que nous devons le modérer par un autre qui nous aidera peut-être à gagner autant de mérite.

Je veux vous donner une explication qui fera mieux comprendre ma pensée. Il nous vient un vif désir, comme à saint Paul, d'être délivrés de cette prison du corps et de nous voir avec Dieu. Pour modérer une peine qui part d'un motif si élevé et qui doit être en soi si pleine de suavité, il nous faut une bien grande mortification; et encore on n'y réussit pas complètement. Parfois cette angoisse sera telle qu'elle enlèvera presque le jugement. C'est ce que j'ai constaté, il n'y a pas longtemps, chez une personne impétueuse par nature et cependant habituée à briser sa volonté, et qui me semble avoir perdu tout bon sens, comme on a pu le voir dans certaines circonstances. Je l'ai vue un instant comme hors d'elle-même, tant sa peine était profonde et tant elle faisait d'efforts pour la dissimuler[1]. Quand ces souffrances étreignent l'âme, il faut, alors même qu'elles viendraient de Dieu, pratiquer l'humilité et craindre. Nous ne devons pas nous imaginer que notre charité est assez vive pour nous jeter dans de telles angoisses. De plus, il ne serait pas mal, à mon avis, que l'âme, si elle le peut, et elle ne le pourra pas toujours, change l'objet de son désir. Qu'elle se persuade que si elle continuait à vivre sur cette terre, elle servirait Dieu davantage et éclairerait quelque âme qui sans cela était perdue; si elle travaillait à servir Dieu ainsi, elle acquerrait de nouveaux mérites et pourrait un jour le posséder plus pleinement; enfin elle doit être remplie de crainte à la pensée qu'elle l'a encore bien peu servi. Ce sont là de bons motifs de consolation pour l'aider à supporter une telle épreuve et à calmer son chagrin, Elle gagnera, en outre, de nombreux mérites, puisqu'elle veut demeurer sur la terre avec sa peine afin de glorifier Dieu davantage. Je la compare à une personne qui se trouverait sous le coup d'une terrible épreuve ou d'un chagrin profond, et que je consolerais par ces paroles: Prenez patience, et remettez-vous entre les mains de Dieu; que sa volonté s'accomplisse en vous, car le plus sûr est de nous abandonner en tout à sa Providence.

Mais le démon ne favorise-t-il pas de quelque manière un tel désir de voir Dieu ? C'est là une chose possible. Cassien, si je ne me trompe, rapporte en effet qu'un ermite de vie très austère se laissa persuader qu'il devait se jeter dans un puits afin d'aller voir Dieu au plus tôt. A mon avis, cet ermite ne devait pas avoir servi le Seigneur avec perfection et humilité. Le Seigneur, en effet, est fidèle, et il n'aurait pas permis que cet homme fût assez aveuglé pour ne pas comprendre une chose aussi évidente. Il est clair que, lorsque le désir vient de Dieu, loin de pousser au mal,

---

1. La Sainte parle ici d'elle-même.

il apporte avec lui la lumière, le discernement, la mesure; cela eſt évident; mais le démon, notre mortel ennemi, ne néglige rien pour chercher à nous nuire; et dès lors qu'il déploie tant d'activité, ne cessons jamais d'être en garde contre lui. C'eſt là un point très important pour beaucoup de choses; il l'eſt en particulier pour abréger le temps de l'oraison, si douce qu'elle soit, lorsque les forces du corps nous trahissent, ou que la tête n'y trouve que fatigue; la modération eſt très nécessaire en tout.

Pourquoi, mes filles, ai-je voulu vous montrer le but à atteindre et vous exposer la récompense avant le combat lui-même, en vous parlant du bonheur que goûte l'âme quand elle boit à cette fontaine céleſte, et s'abreuve à ses eaux vives ? C'eſt afin que vous ne vous affligiez ni des travaux ni des obſtacles de la route, que vous marchiez avec courage et que vous ne succombiez pas à la fatigue; car, ainsi que je l'ai dit, il peut se faire qu'étant déjà arrivées jusqu'au bord de la fontaine, vous n'ayez plus qu'à vous pencher pour y boire, mais que vous abandonniez tout et perdiez un bien si précieux, en vous imaginant que vous n'avez pas la force d'y parvenir et que vous n'y êtes point appelées.

Veuillez considérer que le Seigneur appelle tout le monde. Or, il eſt la Vérité même; on ne saurait douter de sa parole. Si son banquet n'était pas pour tous, il ne nous appellerait pas tous, ou alors même qu'il nous appellerait, il ne dirait pas : Je vous donnerai à boire. Il aurait pu dire : Venez tous, car enfin vous n'y perdrez rien, et je donnerai à boire à ceux qu'il me plaira. Mais, je le répète, il ne met pas de reſtriction; oui, il nous appelle tous. Je regarde donc comme certain que tous ceux qui ne reſteront pas en chemin boiront de cette eau vive. Plaise au Seigneur, qui nous la promet, de nous donner la grâce de la chercher comme il faut ! Je le lui demande par sa bonté infinie.

CHAPITRE XXII

Ce chapitre expose comment, bien qu'il y ait
des voies différentes, la consolation ne manque jamais
dans le chemin de l'oraison. On conseille
aux sœurs de s'entretenir toujours de ce sujet.

Il semble qu'il y ait contradiction entre ce que je viens de dire dans ce dernier chapitre et ce que j'avais dit précédemment. Afin de consoler en effet celles qui n'arrivent pas à la contemplation, j'avais affirmé qu'il y a différentes voies pour aller à Dieu, comme il y a beaucoup de demeures au ciel. Or je l'affirme de nouveau. Sa Majesté, en voyant notre faiblesse, nous a dans sa bonté ménagé des secours. Néanmoins il n'oblige pas ceux-ci à passer par un chemin, ni ceux-là à passer par un autre. Sa miséricorde est si grande, qu'il n'empêche personne d'aller boire à la fontaine de vie. Qu'il en soit béni à jamais ! Oh ! à quel juste titre il eût pu m'en empêcher ! Mais si, bien loin de m'ordonner de m'éloigner de cette source, lorsque j'eus commencé à m'y abreuver, il a fait en sorte que je fusse précipitée dans ses profondeurs, à coup sûr, il n'en éloignera personne. C'est publiquement, c'est à grands cris qu'il y appelle les âmes. Toutefois sa bonté est telle qu'il ne veut pas nous contraindre. A ceux qui veulent le suivre, il donne une foule de moyens de boire l'eau vive, afin que personne ne soit privé de consolation et ne meure de soif. De cette source abondante jaillissent des ruisseaux, les uns grands, les autres petits; parfois ce ne sont que des filets d'eau qu'il destine aux enfants, c'est-à-dire aux commençants; cela d'ailleurs leur suffit, tandis qu'une grande quantité d'eau les épouvanterait.

Ainsi donc, mes sœurs, ne craignez pas de mourir de soif dans ce chemin. L'eau céleste des consolations

n'y manque jamais au point qu'on ne le puisse souffrir. Ainsi donc, suivez mon conseil, et ne restez pas
en chemin, mais combattez au contraire avec courage.
Mourez, s'il le faut, à la poursuite de ce bien, car
vous n'êtes ici que pour combattre. Marchez toujours avec la résolution de mourir plutôt que de
cesser de tendre vers le terme de la route. Si le Seigneur vous laisse endurer quelque soif en cette vie,
il vous donnera dans la vie qui dure toujours de
quoi vous désaltérer pleinement, sans crainte que l'eau
vive vienne à vous manquer. Plaise au Seigneur que
nous ne lui manquions pas nous-mêmes ! Ainsi soit-il !

Pour entreprendre ce chemin dont j'ai parlé et ne
pas nous égarer dès le début, voyons un peu comment
nous devons commencer le voyage. Car c'est là ce qui
importe le plus; je veux dire que tout dépend de là.
Je ne prétends pas que celui qui n'aura pas la résolution bien arrêtée dont je veux parler ne doive pas
commencer; le Seigneur peut l'aider, en effet, à réaliser des progrès. Ne ferait-il qu'un pas, ce pas renferme
en soi une très haute vertu. Il n'a pas à craindre d'en
perdre le mérite, et il ne manquera pas d'en être large-
ment récompensé. Voyez, par exemple, celui qui a un
chapelet indulgencié; s'il le récite une fois, il gagne une
fois les indulgences; plus il le récite, plus il gagne
d'indulgences. Mais si, au lieu de le réciter, il le tenait
toujours renfermé dans une boîte, mieux vaudrait
qu'il ne l'eût point. De même, celui qui ne suit plus
ce chemin de la contemplation en recevra, pour peu
qu'il y ait pénétré, une lumière pour bien se conduire
dans les autres voies; plus il y aura pénétré, plus cette
lumière sera grande. Enfin il peut être certain qu'aucun
préjudice ne lui viendra d'avoir commencé, quoiqu'il
ait abandonné ensuite son projet, car le bien ne produit
jamais de mal.

Aussi, mes filles, lorsque des personnes viennent
s'entretenir avec vous, et que leurs dispositions ou
l'amitié vous le permettent, appliquez-vous à leur
ôter toute crainte de s'adonner à la recherche d'un bien
si précieux. Pour l'amour de Dieu, je vous demande de

viser toujours dans vos entretiens au profit spirituel des personnes avec lesquelles vous parlez. Votre oraison ne doit-elle pas tendre à l'avancement des âmes ? Et puisque vous devez sans cesse demander cette grâce au Seigneur, ce serait manquer à votre rôle, mes sœurs, que de ne pas poursuivre ce but par tous les moyens en votre pouvoir. Si vous voulez être véritablement dévouées à vos parents, vous les aimerez de la sorte; quant à montrer votre affection aux personnes qui vous sont chères, sachez que vous ne le pouvez que par ce moyen. Que la vérité habite en vos cœurs comme doit l'y établir la méditation, et vous verrez clairement quel amour il faut avoir pour le prochain.

Ce n'est plus l'heure, mes sœurs, de nous arrêter à des jeux d'enfants, car toutes ces amitiés du monde, même bonnes, ne me semblent pas autre chose. N'adressez donc jamais ces paroles : M'aimez-vous ? ne m'aimez-vous pas ? ni à vos compagnes, ni à vos parents, ni à personne. J'excepte le cas où vous auriez une raison grave de le faire et rechercheriez l'avancement d'une âme. Il peut arriver, en effet, que, pour faire entendre et accepter une vérité, à un parent, à un frère ou à une personne semblable, vous deviez l'y disposer par des paroles de ce genre, et par des marques d'amitié qui plaisent toujours à la nature. Peut-être qu'on estimera plus ce qu'on appelle une bonne parole, que beaucoup de paroles de Dieu; et par celle-là on se disposera mieux à écouter celles-ci. Dès lors que vous recherchez le profit spirituel du prochain, je ne les blâme pas, mais en dehors de là, elles ne peuvent être d'aucun avantage; elles pourraient vous nuire au contraire, même à votre insu.

Les gens du monde savent que vous êtes religieuses, et que votre vie est une vie d'oraison. N'allez donc pas vous dire : Je ne veux pas que l'on me croie vertueuse, car le bien ou le mal que l'on voit en vous rejaillit sur la Communauté. Ce serait un grand mal que vous, religieuses, qui êtes si rigoureusement tenues de ne parler que de Dieu, vous vous imaginiez qu'il est bon de dissimuler dans ce cas, à moins que ce ne soit en vue d'un plus grand bien et rarement.

C'est ainsi que vous devez parler; tel doit être votre langage. Que ceux qui veulent s'entretenir avec vous l'apprennent de vous. S'ils ne le font pas, gardez-vous bien d'apprendre le leur, ce serait l'enfer. Vient-on alors à vous considérer comme des personnes grossières, peu importe. Si l'on vous regarde comme des hypocrites, que cela vous touche moins encore. Vous y gagnerez de ne recevoir plus la visite que de ceux qui connaîtront votre langage. On ne conçoit pas, par exemple, que celui qui ignore l'arabe prenne plaisir à s'entretenir longtemps avec une personne qui ne connaît que cette langue. De même, si l'on ne comprend pas votre langage, on ne viendra plus ni vous fatiguer, ni vous porter préjudice. Ce ne serait pas un petit dommage, en effet, de commencer à parler une nouvelle langue. Tout votre temps y serait employé. Vous ne pouvez pas savoir, comme moi qui en ai fait l'expérience, quel grave préjudice en résulte pour l'âme; car, en voulant apprendre cette langue, on oublie l'autre. Il en résulte un trouble perpétuel que vous devez fuir à tout prix; ce qu'il faut surtout pour entrer dans ce chemin dont je commence à parler, c'est la paix et le calme de l'âme.

Lorsque des personnes viendront s'entretenir avec vous et voudront apprendre votre langage, vous pourrez, bien qu'il ne vous appartienne pas de l'enseigner, leur dire les richesses que l'on gagne à le connaître. Ne vous lassez jamais de le leur répéter; mais joignez à vos conseils la piété, la charité et la prière, afin qu'elles en tirent profit, et que, comprenant les immenses bienfaits qui les attendent, elles cherchent un maître qui les instruise. Ce ne serait pas une petite grâce que vous accorderait le Seigneur, si vous déterminiez une âme à poursuivre un si grand bien.

Mais que de réflexions se présentent à l'esprit, lorsqu'on se met à parler de cette voie, même quand on l'a comme moi si mal suivie! Plaise à Dieu, mes sœurs, que je sois plus habile à en parler que je ne l'ai été à la parcourir! Ainsi soit-il!

CHAPITRE XXIII

*Ce chapitre expose combien il est important de s'armer
d'un grand courage, quand on commence à s'adonner
à l'oraison, et de mépriser tous les inconvénients que suggère le démon.*

Ne vous étonnez point, mes filles, qu'il faille remplir
tant de conditions pour entreprendre ce voyage
divin. Le chemin qu'il s'agit de suivre est le chemin
royal qui conduit au ciel. Dès lors qu'en le parcourant
on gagne un grand trésor, rien d'étonnant à ce qu'il
nous semble coûter cher. Un temps viendra où vous
comprendrez le peu de valeur de toutes les choses
d'ici-bas, en comparaison d'un bien si précieux.

Je reviens maintenant à ceux qui veulent suivre ce
chemin, et ne point s'arrêter qu'ils ne soient parvenus
au terme, c'est-à-dire qu'ils ne se désaltèrent à la
source d'eau vive. Comment doivent-ils commencer ?
Il est pour eux d'une importance extrême, et même
capitale, de prendre la résolution ferme et énergique de
ne point cesser de marcher qu'ils ne soient arrivés à la
source de vie. Ainsi donc, qu'ils avancent malgré
toutes les difficultés, malgré tous les obstacles, malgré
tous les travaux et malgré tous les murmures; que leur
ambition soit d'atteindre le but. Qu'ils meurent plutôt
sur le chemin qui y conduit, que de manquer de courage pour supporter les épreuves de la route, dût le
monde tout entier s'abîmer avec eux !

On nous dit bien souvent : Cette voie est pleine de
dangers; telle personne s'y est perdue; telle autre s'y
est égarée; celle-ci qui priait beaucoup est tombée;
vous faites tort à la vertu; cela n'est pas pour les
femmes, car elles sont sujettes à l'illusion; mieux vau-

drait qu'elles filent; elles n'ont pas besoin de ce raffine-
ment; le *Pater* et l'*Ave* leur suffisent. Certes oui, cela
suffit ! Tel est bien mon avis, mes sœurs. Il est toujours
précieux de donner pour base à notre oraison la prière
qui est sortie d'une bouche telle que celle de Notre-
Seigneur. En cela on dit vrai. Supposé que notre
faiblesse ne fût pas si grande et notre dévotion si
froide, nous n'aurions pas besoin d'autres formules de
prières, ni d'aucun livre d'oraison.

Voici donc ce que j'ai pensé faire. Comme je m'adresse
en ce moment à des âmes qui ne peuvent se recueillir
dans la méditation des mystères, parce qu'il leur
semble nécessaire d'y employer des moyens compli-
qués, et comme il y a des esprits si pointilleux que
rien ne les contente, je me propose d'établir sur le
Pater des règles pour le début, le progrès, et la fin de
l'oraison, sans m'arrêter cependant à des considérations
élevées. On ne pourra pas vous enlever tous vos livres,
car si vous vous attachez avec zèle au *Pater* et si vous
demeurez dans l'humilité, vous n'avez pas besoin
d'autre chose. Pour moi, j'ai toujours beaucoup aimé
les paroles de l'Évangile, qui m'ont toujours plus
recueillie que les livres les mieux faits; quant à ceux
dont les auteurs ne recevaient pas une approbation
unanime, je n'avais nulle envie de les lire.

Je m'approche donc du Maître de la Sagesse; il me
suggérera peut-être quelque pensée qui soit de nature
à vous contenter. Toutefois je vous déclare que mon
but n'est point de vous expliquer les divines invoca-
tions du *Pater*; je n'aurais pas cette prétention. D'ailleurs les explications qui en ont été données ne manquent pas. Mais alors même qu'elles n'existeraient
point, ce serait une folie pour moi de l'entreprendre.
Je me contenterai seulement de vous donner quelques
considérations sur les paroles du *Pater*, vu que parfois
le grand nombre de livres nous fait perdre la dévotion
là où il nous faudrait tant l'avoir. Quand un maître
enseigne une leçon, il s'affectionne évidemment à son
disciple, il est content que son enseignement lui
plaise et il l'aide autant qu'il le peut à l'apprendre.

Voilà ce que fera pour nous notre Maître céleste.

Aussi, ne vous troublez pas des craintes que l'on cherchera à vous inspirer, ni des dangers que l'on vous représentera. Ce serait une chose curieuse que l'on prétendît conquérir un grand trésor sans courir de danger, quand il y a tant de voleurs sur le chemin qui y conduit ! Mais les gens du monde sont-ils mieux disposés pour nous laisser le prendre en paix, quand pour un vil intérêt ils sont prêts à passer des nuits et des nuits sans dormir, et à vous tourmenter le corps et l'âme ? Or, si vous allez à la recherche de ce trésor, ou si vous voulez le ravir, puisque ce sont, affirme Notre-Seigneur, les violents qui le ravissent, si vous y allez par un chemin royal, par un chemin sûr, par celui-là même qu'a suivi notre Roi et qu'ont suivi tous ses élus et ses saints, pourquoi vient-on dire qu'il y a tant de dangers et vous susciter tant de craintes ? Mais à combien de dangers ne s'exposent-ils pas, ceux qui s'imaginent gagner ce trésor sans suivre de route ? O mes filles, ils en trouvent de bien plus nombreux. Mais ils ne le comprennent que lorsqu'ils sont tombés dans le péril véritable et qu'ils n'ont personne pour leur tendre la main. Ils perdent alors complètement l'eau qui désaltère; ils n'en goûtent ni peu, ni beaucoup; ils n'ont ni flaques ni ruisseaux pour y boire. Et, dites-moi, comment, sans une goutte de cette eau, pourront-ils parcourir ce chemin où il y a tant d'ennemis à combattre ? Il est clair qu'au temps qui devait être pour eux le plus favorable, ils mourront de soif.

Que nous le voulions ou non, mes filles, nous marchons tous, bien que de différentes manières, vers cette fontaine. Mais croyez-moi, et ne vous laissez tromper par personne : il n'y a qu'un seul chemin qui y conduise, l'oraison. Je n'examine pas en ce moment si elle doit être mentale ou vocale pour tous, mais je dis que vous avez besoin de l'une et de l'autre. C'est là le devoir des personnes entrées en religion. Celui qui viendra vous dire qu'il y a à cela quelque danger, regardez-le comme étant lui-même un danger pour vous et fuyez-le. N'oubliez pas ce conseil; peut-être vous sera-t-il utile. Il y aurait du danger, oui, à ne posséder ni l'humilité ni aucune autre vertu; mais assurer que le chemin de l'oraison est dangereux, à Dieu ne plaise ! Le démon semble avoir inventé ce prétexte pour jeter la frayeur dans les âmes, et par ses artifices il en a fait tomber quelques-unes qui semblaient adonnées à l'oraison.

Considérez combien le monde est aveugle ! Il ne fait plus attention à ces milliers d'infortunés qui, pour n'avoir point pratiqué l'oraison et s'être laissés aller à leurs rêveries, sont tombés dans l'hérésie et des désordres affreux. Or dans cette multitude, s'il y en a quelques-uns qui étaient adonnés à l'oraison et que le démon, pour mieux arriver à ses fins, a séduits, on vient répandre les plus grandes terreurs dans quelques âmes pour les détourner de la pratique des vertus. Que ceux qui se prévalent d'un tel prétexte pour éviter les dangers, se tiennent sur leurs gardes, parce qu'ils fuient le bien, pour se préserver du mal. Je n'ai jamais rien vu de plus perfide. Il est clair que c'est là une invention du démon.

O mon Seigneur, prenez la défense de votre propre cause. Voyez comme on prend à rebours vos paroles; ne permettez pas que vos serviteurs tombent dans de semblables faiblesses. Heureusement que vous aurez toujours quelque personne pour vous aider. Le vrai serviteur de Dieu, en effet, celui que Sa Majesté éclaire et conduit dans la voie sûre a cela de particulier, qu'au milieu des terreurs du chemin, il sent croître en lui le désir de ne point s'arrêter. Il voit avec évidence par où le démon veut frapper; non seulement il se dérobe à ses coups, mais il lui brise la tête. Le démon est tellement sensible à cette défaite qu'il ne s'en trouve pas dédommagé par tous les plaisirs que lui causent ses esclaves.

Dans les temps de trouble et de zizanie dont il est l'auteur, il semble entraîner à sa suite tous les hommes qui sont pour ainsi dire aveuglés par les apparences d'un beau zèle. Mais Dieu suscite alors un élu qui leur ouvre les yeux et leur montre comment le démon, pour les empêcher de distinguer le chemin, l'a noyé dans la brume. Oh ! que Dieu est grand ! Un homme ou deux qui disent la vérité sont parfois plus puissants pour montrer la vraie voie qu'une foule d'autres réunis, car Dieu les remplit de courage. Si l'on dit que l'oraison est pleine de dangers, ils s'appliquent à montrer, sinon par des paroles, du moins par des œuvres, combien elle est précieuse.

A ceux qui prétendent qu'il ne convient pas de communier si souvent, ils répondent en communiant plus fréquemment. Ainsi donc, à l'aide d'un ou deux hommes qui suivent la voie d'une plus haute perfection sans crainte aucune, le Seigneur arrive peu à peu à regagner tout ce qu'il avait perdu.

Laissez donc, mes sœurs, toutes ces vaines craintes. Ne faites jamais cas, dans les questions de cette nature, de l'opinion du vulgaire. L'époque où nous sommes ne permet pas de faire confiance à tout le monde; suivez seulement ceux que vous verrez imiter fidèlement la vie du Christ. Veillez à garder la pureté de la conscience, l'humilité et le mépris de tous les biens d'ici-bas. Croyez fermement ce qu'enseigne notre Mère, la sainte Église; et soyez assurées que vous suivez le bon chemin. Je vous le répète, soyez sans crainte, là où il n'y a pas à craindre.

Si quelqu'un cherche à vous en inspirer, déclarez-lui avec humilité le chemin que vous suivez; répondez-lui que votre règle vous prescrit de prier sans cesse, comme c'est la vérité, et que vous devez y être fidèles. Dans le cas où il vous répliquerait que cela s'entend de la prière vocale, demandez-lui si l'esprit et le cœur ne doivent pas être appliqués à ce que vous récitez. S'il répond que oui, et il ne pourra répondre autrement, vous comprendrez par cet aveu que vous devez forcément faire l'oraison mentale, et même arriver jusqu'à la contemplation, si Dieu vous en accorde la grâce.

CHAPITRE XXIV

Où l'on expose ce que c'est que
l'oraison mentale.

Sachez, mes filles, que l'oraison n'est pas vocale
ou mentale parce que nous avons la bouche ouverte
ou fermée. Si, quand je prie vocalement, je suis entièrement occupée de Dieu, à qui je m'adresse, si je songe
à lui avec plus de soin qu'aux paroles mêmes que je
prononce, j'unis l'oraison mentale à l'oraison vocale.
Bien entendu, si l'on vient m'affirmer que vous parlez
à Dieu quand, en prononçant les paroles du *Pater*,
vous êtes tout occupées du monde, je n'ai plus qu'à
me taire. Mais si l'on veut bien vous permettre de
parler à Dieu avec toute l'attention qui convient à
un tel Maître, il est juste que vous considériez quel
est celui à qui vous vous adressez, et qui vous êtes, ne
serait-ce que pour parler avec les convenances requises.
Comment pourriez-vous vous présenter devant un
Roi ou une Altesse et observer le cérémonial qui s'impose quand on parle à un grand, si vous ignorez la
différence qu'il y a entre sa dignité et votre état ?
Les marques de respect qu'il faut lui rendre doivent être
conformes à sa dignité, ainsi qu'à l'usage qu'on doit
également connaître; sans quoi, on vous renvoie
comme une personne rustique, et vous ne traitez aucune
affaire.

Mais qu'est ceci, ô mon Seigneur ? Qu'est ceci,
ô mon Souverain ? Comment peut-on le souffrir ?
C'est vous, ô mon Dieu, qui êtes le Roi éternel. Votre
royaume n'est pas un royaume d'emprunt. Quand
on récite dans le *Credo* qu'il n'aura pas de fin, j'en
éprouve presque toujours une joie spéciale. Je vous
en loue, ô Seigneur, et vous en bénis pour toujours.
Enfin votre royaume durera éternellement. Ne per-

mettez jamais, ô Seigneur, que ceux qui vont vous
parler regardent comme bon de ne le faire que du
bout des lèvres. Qu'est-ce que cela, chrétiens ? Vous
dites que l'oraison mentale n'est pas nécessaire !
Est-ce que vous vous comprenez bien vous-mêmes ?
Je crois que non; et voilà pourquoi vous voudriez
que nous divaguions tous ! Vous ne savez pas non
plus ce que c'est que l'oraison mentale, ni comment
il faut faire la prière vocale, ni ce qu'il faut entendre
par contemplation; car si vous le saviez, vous ne con-
damneriez pas d'un côté ce que vous approuvez de
l'autre.

Pour moi, mes filles, je vous recommanderai toujours, chaque fois que je me le rappellerai, d'unir
l'oraison mentale et l'oraison vocale. Ne vous alarmez
donc point de ce que le monde pourra vous dire. Je
sais jusqu'où l'on peut tomber quand on l'écoute;
j'en ai moi-même quelque peu souffert. Je ne voudrais
pas que l'on vînt vous jeter dans le trouble; car les
craintes que l'âme peut éprouver sur le chemin de
l'oraison lui sont extrêmement préjudiciables. Il
est, au contraire, très important pour vous de comprendre que vous êtes dans la bonne voie. Quand on
annonce à un voyageur qu'il s'est égaré, qu'il a perdu
son chemin, on l'oblige à aller de côté et d'autre et à
se fatiguer pour retrouver son chemin; il perd du temps
et il arrive plus tard. Mais qui donc pourrait trouver
mauvais qu'au moment de commencer à réciter vos
Heures, ou votre rosaire, vous vous demandiez tout
d'abord à qui vous allez parler et qui vous êtes, pour
voir comment vous vous adresserez à lui ? Or, je
vous le dis, mes sœurs, il vous faut passer beaucoup
de temps en oraison mentale, avant de commencer
votre prière vocale, pour comprendre convenablement
ces deux points. Assurément, quand on va trouver un
prince, on ne lui parle pas avec le même sans-façon
qu'à un laboureur ou à une pauvre religieuse comme
nous. De quelque façon qu'on nous parle, ce sera
toujours bien. Sans doute, l'humilité de notre Roi est
telle que, malgré mon ignorance des règles du langage,

il ne laisse pas de m'écouter et de me permettre de
m'approcher de lui; ses gardes ne sauraient me chasser :
car les Anges qui l'accompagnent n'ignorent pas que
leur roi apprécie plus la simplicité d'un petit pasteur
bien humble, qui en dirait davantage, s'il le pouvait,
que tous les beaux raisonnements des plus grands
savants et des lettrés, s'ils ne sont pas humbles. Toutefois, ce n'est pas parce qu'il est bon que nous devons
nous montrer grossiers. Ne serait-ce que pour lui
témoigner ma gratitude de ce qu'il daigne supporter
près de lui un objet aussi repoussant que moi, il est
juste que je reconnaisse quelle est sa pureté et sa
Majesté. A la vérité, on le comprend dès qu'on s'approche de lui. Quand on veut connaître les grands
de ce monde, on nous parle de leurs ancêtres, de leurs
revenus, de leurs titres de noblesse, et cela suffit
pour les honorer, puisque l'on se guide ici-bas, non
d'après leur mérite personnel, si grand soit-il, mais
d'après leur condition de fortune. O malheureux monde !
Rendez à Dieu, mes filles, d'immenses actions de
grâces de ce que vous avez laissé une telle vanité
là où l'on estime les gens, non d'après leur mérite personnel, mais d'après ce que possèdent leurs fermiers et
leurs vassaux. Viennent-ils à perdre ces avantages, que
le monde cesse aussitôt de les honorer. Vous avez ici,
mes filles, une belle occasion de vous divertir, lorsque
vous irez prendre ensemble un peu de récréation. Ce
sera une excellente occupation de chercher à comprendre dans quel aveuglement les gens du monde
passent leur temps.

O Maître absolu du monde, vous qui êtes le suprême
pouvoir, la souveraine bonté, la sagesse même, vous
qui êtes sans commencement ni fin, vous dont les
œuvres n'ont point de terme, dont les perfections
sont infinies, et au-dessus de toute intelligence !
ô vous, abîme sans fond de merveilles, ô beauté qui
renfermez toutes les beautés, ô vous, la force même !
grand Dieu ! que n'ai-je en ce moment toute l'élo-
quence et la sagesse des hommes ! Je pourrais, autant
qu'il est possible ici-bas, où notre science est bien

courte, faire comprendre une seule de ces nombreuses perfections dont la vue nous révèle quelque peu la nature de Celui qui est notre Seigneur et notre Bien !

Oui, approchez de lui, mais songez et comprenez à qui vous allez parler, ou à qui vous parlez déjà. Après mille vies comme la nôtre, vous n'arriveriez pas encore à comprendre comment mérite d'être traité ce Seigneur devant qui tremblent les Anges. Il commande tout, il peut tout; pour lui, vouloir c'est faire. Il est juste, mes filles, que nous nous appliquions à nous réjouir des grandeurs de notre Époux, que nous comprenions de qui nous sommes les Épouses, et que nous sachions quelle doit être la sainteté de notre vie.

Eh quoi, mon Dieu ! quand on se marie ici-bas, le premier souci n'est-il pas de connaître la personne avec laquelle on se marie, ses qualités et sa fortune ? Et nous qui sommes déjà fiancées, nous ne pourrions pas songer à notre Époux avant le jour des noces où il nous introduira dans sa demeure ? Puisque les fiancés de la terre peuvent se connaître avant leur union, pourquoi nous défendrait-on à nous de chercher à bien connaître quel est notre Époux, quel est son Père, quel est le pays où il doit nous conduire, quels sont les biens qu'il nous promet, quel est son caractère, par quel moyen nous pourrions le contenter davantage, ou lui faire plaisir et nous conformer à ses goûts ?

C'est là ce que l'on conseille à une fille pour qu'elle soit heureuse dans le mariage, alors même que son mari serait d'une condition très basse. Mais, ô mon Époux, sera-t-il vrai qu'en toutes choses on fera moins de cas de vous que des hommes ? Si le monde n'approuve pas ce que je dis, qu'il vous laisse du moins vos Épouses, puisque c'est près de vous qu'elles doivent passer leur vie.

En vérité, voilà une vie heureuse. Notre Époux est si jaloux de nous, ses Épouses, qu'il ne veut pas que nous parlions aux créatures. Mais il serait plaisant que, de notre côté, nous ne cherchions pas à lui plaire et à comprendre que le motif pour lequel nous devons lui obéir et ne plus parler aux créatures, c'est que nous avons en lui tout ce que nous pouvons désirer.

Bien comprendre ces vérités, mes filles, c'est faire l'oraison mentale. Si vous voulez joindre à cela la prière vocale, ce sera parfait. Mais quand vous vous entretenez avec votre Époux, ne vous mettez pas, pour l'amour de Dieu, à penser à tout autre chose ! Ce serait bien mal comprendre l'oraison mentale, je crois l'avoir suffisamment expliqué. Plaise au Seigneur que nous sachions mettre tout cela en pratique ! Ainsi soit-il !

CHAPITRE XXV

Ce chapitre montre combien il est important de ne pas retourner en arrière, quand on a commencé à parcourir ce chemin de l'oraison ; il traite de nouveau de l'importance qu'il y a à y marcher avec courage.

Il est très important, je le répète, d'entrer dans cette voie avec une ferme résolution de la poursuivre; il y a même tant de motifs pour cela qu'il serait trop long de vous les exposer tous; aussi, mes sœurs, je ne vous parlerai que de deux ou trois.

En voici un. Quand nous nous déterminons à donner quelque chose à Celui qui nous a tout donné, et nous donne encore sans cesse, il n'est pas juste de ne pas lui donner ce petit moment de l'oraison avec un entier abandon (nous y avons d'ailleurs tout intérêt, car nous en retirons de grands avantages), mais de le lui offrir comme un prêt qu'on peut lui redemander. A mon avis, ce n'est pas là un don véritable. De plus, celui à qui nous avons prêté un objet est toujours quelque peu attristé lorsque nous le lui réclamons, surtout s'il en a besoin, ou s'il le regardait déjà comme lui appartenant. Il le serait également s'il l'avait reçu d'un ami auquel il avait fait beaucoup de dons sans en réclamer aucun intérêt. Il regardera alors cela comme une petitesse, et la marque d'un bien faible amour, puisqu'on ne veut pas même lui faire don d'un petit objet en signe d'amitié.

Quelle est l'épouse qui, ayant reçu beaucoup de joyaux précieux de son époux, refuserait de lui donner une simple bague, non à cause de sa valeur, puisque tout ce qui est à elle est aussi à lui, mais comme preuve qu'elle lui appartient jusqu'à la mort ? Or le Seigneur, notre Époux, mériterait-il moins, pour que nous allions nous moquer de lui, en reprenant aussitôt ce rien que nous lui avons donné ? Que d'heures ne passons-nous pas à nous occuper de nous-mêmes, ou à nous entretenir avec des personnes qui ne nous en sauront aucun gré ! Puisque nous voulons donner à Dieu quelques instants d'oraison, donnons-les lui donc avec un esprit bien libre et dégagé de toutes pensées terrestres. Donnons-lui ce temps avec la résolution ferme de ne plus le reprendre jamais, quelles que soient les épreuves, les contradictions ou les sécheresses, que nous ayons à endurer. Considérons ce temps comme une chose qui ne nous appartient plus, et qu'on peut nous réclamer en justice, si nous ne le donnons pas tout entier.

Je ne veux pas dire que nous reprenons ce que nous avons donné, si nous laissons l'oraison pour un jour, ou même pour plusieurs, à cause d'une occupation légitime ou d'une indisposition quelconque. Mais que notre volonté au moins demeure inébranlable. Mon Dieu n'est nullement méticuleux, et il ne s'arrête pas à des bagatelles. Aussi ne manquera-t-il pas de vous savoir gré de votre bonne volonté, car, en définitive, vous avez donné quelque chose.

L'autre manière de procéder est bonne pour celui qui n'est pas généreux, et est si peu libéral qu'il n'a pas le courage de donner; c'est beaucoup pour lui de prêter. Enfin qu'il fasse quelque chose, Notre-Seigneur prend tout en compte, et s'accommode en tout à nos désirs. Il n'est nullement exigeant, mais plutôt large. Quelque grande que soit notre dette, il lui en coûte peu de nous en tenir quittes. Il est rempli d'attentions pour payer nos services. Ne craignez pas qu'il laisse sans récompense la plus simple action, comme celle de lever les yeux au ciel en vous souvenant de lui.

Le second motif pour lequel nous devons nous adonner généreusement à l'oraison, c'est que le démon n'a plus autant de prise pour nous tenter. Il redoute beaucoup les âmes vaillantes. L'expérience lui a appris quels préjudices elles lui causent. Tout ce qu'il fait pour leur nuire tourne à leur avantage et à celui du prochain, et finalement c'est lui qui y perd. Néanmoins nous ne devons pas nous relâcher, ni cesser d'être sur nos gardes; nous avons à lutter contre des traîtres : s'ils nous trouvent vigilants, ils n'auront pas autant d'audace pour nous attaquer, parce qu'ils sont lâches. Mais s'ils remarquent en nous quelque relâchement, ils peuvent nous faire le plus grand mal. Dès qu'ils voient qu'une âme est chancelante et qu'elle n'est ni constante dans le bien, ni fermement résolue d'y persévérer, ils ne lui laissent de repos ni jour ni nuit, lui suggèrent mille craintes, et lui représentent sans cesse de nouvelles difficultés. C'est ce que l'expérience m'a fort bien appris; voilà pourquoi j'ai pu traiter un sujet dont personne, me semble-t-il, ne mesure assez l'importance.

La troisième raison très importante pour la question dont nous nous occupons, c'est que l'on combat avec plus de courage; on sait que, coûte que coûte, il ne faut pas reculer. Voyez celui qui est sur le champ de bataille; il sait que s'il est vaincu, on ne lui fera pas grâce de la vie, et que s'il ne meurt pas au milieu du combat, on l'exécutera ensuite. Aussi, il lutte avec plus d'ardeur; il veut vendre chèrement sa vie, comme on dit. Il ne redoute pas tant les coups, parce qu'il se représente combien il lui importe de remporter la victoire et reconnaît que le seul moyen de sauver sa vie, c'est de vaincre.

Il est nécessaire, en outre, de commencer avec l'assurance que, si nous ne voulons pas nous laisser vaincre, nous réussirons. Cela ne fait aucun doute; et,

si petit que soit l'avantage que nous remporterons, il
nous rendra très riches. Ne craignez pas que le Seigneur, qui nous invite à boire à cette fontaine, comme
je l'ai déjà dit et comme je voudrais le répéter mille
fois, nous laisse mourir de soif. La crainte, en effet,
comprime beaucoup l'élan des personnes qui ne connaissent pas encore la bonté du Seigneur par une
expérience personnelle, bien qu'elles la connaissent
par la foi. C'est un immense avantage, je l'avoue,
d'avoir goûté son amitié, ou expérimenté avec quelle
douceur il traite ceux qui vont par ce chemin, et
comme il fait, pour ainsi dire, tous les frais du voyage.
Je ne m'étonne pas que ceux qui ne l'ont point éprouvé
veuillent avoir l'assurance de recevoir quelque intérêt.
Or vous savez déjà que cet intérêt sera de cent pour
un, dès cette vie même, et que Notre-Seigneur a dit :
Demandez, et il vous sera donné. Si vous ne croyez pas à
la parole de Sa Majesté qui nous donne cette assurance
en plusieurs endroits de l'Évangile, il me servira de
peu, mes sœurs, de me fatiguer à vous le répéter.
Néanmoins, je vous assure que celle qui aurait quelque
doute risquera peu à en tenter l'épreuve. Ce qu'il y a
de merveilleux pour l'âme qui entreprend ce voyage,
c'est qu'on lui donne beaucoup plus qu'elle ne demande
et ne saurait désirer. Cela est absolument certain, et
je le sais par moi-même. Je puis d'ailleurs donner pour
témoins de ce que j'avance celles d'entre vous qui,
par la bonté de Dieu, ont une connaissance expérimen-
tale de ces faveurs.

CHAPITRE XXVI

Ce chapitre montre comment il faut faire la prière
vocale avec perfection et comment la prière
vocale est unie à l'oraison mentale.

Je m'adresse de nouveau aux âmes dont j'ai parlé,
et qui ne peuvent ni se recueillir, ni fixer leur esprit
dans l'oraison mentale, ni s'adonner à la méditation.
Nous ne prononcerons pas même ces noms, puisque
les choses qu'ils signifient ne sont pas pour elles. Et,
en vérité, il y en a beaucoup que le nom seul d'oraison
mentale ou de contemplation semble effrayer; car,
ainsi que je l'ai dit, toutes ne vont pas par le même
chemin, et il peut se faire que quelqu'une de ces âmes
entre dans cette maison.

Je voudrais vous conseiller maintenant (et je pourrais
dire vous enseigner, car étant votre Mère et votre
prieure, cela m'est permis) sur la manière dont vous
devez prier vocalement. Il est juste que vous compreniez ce que vous dites; et peut-être celles qui sont
incapables de fixer leur pensée en Dieu trouveront-
elles aussi de la fatigue à faire de longues prières;
je ne veux point m'occuper de ces prières, mais seulement de celles auxquelles tout chrétien est forcément
obligé, le *Pater* et l'*Ave*.

Il ne faut pas que l'on puisse dire de nous que nous
parlons sans comprendre ce que nous disons; à moins
qu'il nous suffise, à notre avis, d'agir ainsi par coutume
et que nous nous contentions de prononcer les paroles.
Que cela suffise ou non, je ne m'en occupe pas; c'est
aux savants de le dire. Ce que je voudrais que nous
fissions, nous, mes filles, c'est de ne point nous contenter de cela. Quand je récite le *Credo*, il est raison-
nable, ce me semble, que je me rende compte de ce
que je crois et que je le sache; quand je récite le *Notre*

Père, ce sera une marque d'amour de me rappeler quel est ce Père et aussi quel est le Maître qui nous a enseigné cette prière. Si vous m'objectez que vous le savez déjà et qu'il est inutile que je vous le rappelle, je vous réponds que vous avez tort. Il y a maître et maître. Et pour ne parler que de ceux de la terre qui nous enseignent, c'est un grand malheur de ne pas en garder le souvenir; quand ce sont des saints et qu'ils dirigent notre âme, je regarde comme impossible que nous les oubliions, si nous sommes leurs fidèles disciples.

Mais comment ne pas nous rappeler un Maître comme celui qui nous a appris cette prière, qui nous l'a enseignée avec tant d'amour et avec un si vif désir qu'elle nous fût profitable? Que Dieu ne permette pas que nous récitions cette prière sans penser à lui, et si nous ne le pouvons pas toujours, à cause de notre faiblesse, qu'au moins ce soit le plus souvent possible.

Tout d'abord vous savez que Sa Majesté nous enseigne à prier dans la solitude. C'est ainsi que Notre-Seigneur faisait toujours, quand il priait, non que cela lui fût nécessaire, mais parce qu'il voulait nous donner l'exemple. Nous avons déjà dit qu'on ne saurait parler en même temps à Dieu et au monde. Or ils ne font pas autre chose, ceux qui récitent des prières et par ailleurs écoutent ce qui se dit autour d'eux, ou s'arrêtent aux pensées qui se présentent sans se préoccuper de les repousser. Je ne parle pas de ces indispositions qui surviennent parfois, ni, surtout, de la mélancolie ou des maux de tête qui affligent certaines personnes et les empêchent, malgré leurs efforts, de se recueillir.

Il en est de même pour ces orages intérieurs qui peuvent troubler quelquefois les fidèles serviteurs de Dieu, mais que celui-ci permet pour leur plus grand bien. Dans leur affliction, ils cherchent en vain le calme. Quoi qu'ils fassent, ils ne peuvent être attentifs aux prières qu'ils prononcent. Leur esprit, loin de se fixer à rien, s'en va tellement à l'aventure qu'il semble en proie à une sorte de frénésie.

A la peine qu'ils en éprouvent, ils verront que ce

n'est pas de leur faute. Qu'ils ne se tourmentent donc point, ce serait pire. Qu'ils ne se fatiguent pas à remettre à la raison leur entendement, qui pour lors en est incapable. Qu'ils prient le mieux qu'ils pourront, et même qu'ils ne prient point. Puisque leur âme est malade, qu'ils s'appliquent à lui procurer quelque repos et s'occupent de quelque autre œuvre de vertu.

Voilà ce que doivent faire les personnes qui ont à cœur leur sanctification, et qui comprennent que l'on ne saurait parler à Dieu et au monde en même temps.

Ce qui dépend de nous, c'est de tâcher d'être dans la solitude pour prier. Et plaise à Dieu que cela suffise, je le répète, pour comprendre en présence de qui nous sommes et quelle réponse le Seigneur fait à nos demandes ! Pensez-vous qu'il se taise, bien que nous ne l'entendions pas ? Non, certes. Il parle au cœur quand c'est le cœur qui le prie.

Il est bon de considérer, en outre, que c'est à chacun d'entre nous que Notre-Seigneur a enseigné cette oraison, et qu'il nous l'enseigne encore en ce moment; car jamais le Maître n'est si éloigné de son disciple qu'il doive élever la voix pour en être entendu; il est, au contraire, tout près de lui. Je désire vous voir parfaitement convaincues de cette vérité que, pour bien réciter le *Pater*, vous devez vous tenir près du Maître qui nous l'a enseigné.

Vous me direz encore que prier ainsi, c'est méditer, et que vous ne pouvez, ni par conséquent ne voulez autre chose que prier vocalement. Il y a, en effet, des personnes qui sont impatientes, et qui ne veulent se donner aucune peine. Comme elles ne sont pas habituées à méditer, elles ont des difficultés dans les débuts pour se recueillir; et comme elles ne veulent pas prendre un peu de peine, elles disent qu'elles ne peuvent et ne savent prier que vocalement. J'avoue que vous avez raison d'appeler oraison mentale la méthode dont j'ai parlé. Mais je vous déclare en même temps que je ne comprends pas comment la prière vocale, pour être bien faite, peut en être séparée. Il nous faut

bien savoir à qui nous parlons; c'est même un devoir
de s'appliquer à prier avec attention. Plaise à Dieu
que tous ces moyens nous aident à réciter le *Pater*
correctement, et que nous ne l'achevions pas au milieu
de pensées les plus incongrues ! Pour moi, j'en ai fait
l'expérience plusieurs fois, le meilleur remède aux
distractions est de m'appliquer à fixer ma pensée sur
Celui qui a composé cette prière. Soyez donc patientes,
et travaillez à acquérir l'habitude d'une méthode si
nécessaire.

CHAPITRE XXVII

*Où l'on montre combien une âme profite à réciter
avec perfection les prières vocales, et comment
Dieu parfois l'élève de là à des
faveurs surnaturelles.*

N'allez pas croire que l'on tire peu de fruit de la
prière vocale bien faite. Je vous le dis, il est très possible que, tandis que vous récitez le *Pater* ou une autre
prière vocale, le Seigneur vous élève à la contemplation
parfaite. Sa Majesté montre ainsi qu'Elle entend
celui qui lui parle. Ce souverain Maître lui parle à son
tour, il suspend son entendement, il arrête sa pensée, et
recueille pour ainsi dire ses paroles avant qu'elles ne
soient prononcées; aussi ne peut-on en proférer une
seule, si ce n'est au prix des plus grands efforts. L'âme
reconnaît que ce Maître divin l'enseigne sans faire
entendre aucun bruit de paroles; il suspend l'activité
de ses facultés, qui, loin de procurer quelque avantage, si elles opéraient alors, ne feraient que nuire. En
cet état, les facultés jouissent sans comprendre comment elles jouissent. L'âme s'enflamme de plus en
plus d'amour, sans comprendre comment elle aime.
Elle sait qu'elle jouit de l'objet qu'elle aime; mais elle
ignore comment elle en jouit. Elle comprend, cepen-

dant, que son entendement n'aurait jamais su désirer
un tel bien, et sa volonté embrasse ce bien sans savoir
comment elle l'embrasse. Si elle peut en comprendre
quelque chose, c'est en reconnaissant qu'elle ne pourrait le mériter par tous les travaux du monde. Il est
un don du Maître de la terre et des cieux, qui, en fin
de compte, le confère d'une manière digne de lui.
Voilà, mes filles, ce que c'est que la contemplation.
Vous saurez maintenant en quoi elle diffère de l'oraison mentale. Celle-ci, je le répète, consiste à penser à
ce que nous disons et à le comprendre, comme aussi
à considérer à qui nous parlons, et ce que nous sommes
pour oser nous adresser à une si haute Majesté. S'occuper de ces pensées et d'autres semblables, comme
par exemple constater le peu que nous avons travaillé
à la cause de Dieu et l'obligation où nous sommes de
le servir, c'est faire oraison mentale. Ne vous imaginez
donc pas que ce soit quelque chose d'extraordinaire,
et ne vous effrayez pas à son seul nom. Réciter le
Pater, l'*Ave*, ou une autre prière à votre choix, c'est
faire une oraison vocale; mais considérez quelle
musique discordante elle ferait sans l'oraison mentale;
les paroles elles-mêmes ne se suivraient pas toujours
avec ordre.

Dans ces deux sortes d'oraison, nous pouvons
quelque chose de nous-mêmes avec le secours de Dieu.
Dans la contemplation dont j'ai parlé tout à l'heure,
nous ne pouvons absolument rien. Sa Majesté seule
fait tout. C'est son œuvre, et cette œuvre surpasse les
forces de notre nature. J'ai traité très longuement, et
le mieux qu'il m'a été possible, ce point de la contemplation, dans le récit de ma *Vie* dont je vous ai déjà
parlé et que j'ai composé pour le montrer à mes
confesseurs, comme ils me l'avaient demandé. Aussi
me suffit-il ici d'avoir effleuré ce sujet, sans m'y
arrêter davantage. Celles d'entre vous qui auront
été assez heureuses pour être élevées par Dieu à cet
état de contemplation tâcheront de se procurer ce
livre [1]. Il renferme plusieurs points de doctrine et

1. Celui de sa *Vie*, XI, XII.

des avis que le Seigneur m'a aidée à exposer. A mon avis, vous trouveriez à le lire beaucoup de consolation et de profit. C'est aussi ce que pensent quelques-uns de ceux qui l'ont vu, et qui le regardent comme un livre qu'il faut estimer. Mais quelle honte pour moi de vous engager à faire cas d'un écrit qui vient de moi, quand le Seigneur sait combien je suis confuse d'écrire la plupart de ces choses ! Béni soit-il de ce qu'il daigne me souffrir comme il le fait ! Celles d'entre vous, je le répète, qui seront élevées à l'oraison surnaturelle se procureront ce livre, lorsque je serai morte. Quant aux autres, elles n'ont aucun motif de le voir. Mais qu'elles s'efforcent de mettre en pratique ce que je dis dans le présent écrit et s'abandonnent à la volonté du Seigneur. C'est lui seul qui peut vous faire ce don de la contemplation. Il ne vous le refusera pas, si vous ne restez pas en chemin et si vous ne négligez rien pour arriver au but.

CHAPITRE XXVIII

Ce chapitre expose la manière de recueillir l'entendement et donne les moyens d'y réussir. Il est très important pour ceux qui commencent à s'exercer à l'oraison.

Revenons maintenant à notre prière vocale. Il faut la réciter de telle sorte que, sans nous en douter, nous recevions de Dieu tous les dons à la fois. Mais pour prier de la manière dont je vous ai recommandé de le faire, vous savez ce qu'on fait tout d'abord. On examine sa conscience, on récite le *Confiteor* et on fait le signe de croix. Aussitôt après, mes filles, appliquez-vous, puisque vous êtes seules, à trouver une compagnie. Et quelle meilleure compagnie pouvez-vous trouver que celle du Maître même qui a enseigné la prière que vous devez réciter ? Représentez-vous

ce Seigneur auprès de vous; considérez avec quel
amour et quelle humilité il vous enseigne. Croyez-
moi, ne négligez rien pour n'être jamais sans un
ami si fidèle. Si vous vous habituez à le considérer
près de vous; s'il voit que vous faites cela avec amour
et que vous vous appliquez à lui plaire, vous ne pourrez
plus, comme on dit, vous en débarrasser. Il ne vous
manquera jamais; il vous aidera dans toutes vos
épreuves; vous l'aurez toujours et partout à votre
côté. Pensez-vous que ce soit peu de chose que d'avoir
un tel ami près de vous ? O mes sœurs, vous qui
ne pouvez discourir beaucoup avec l'entendement, ni
appliquer votre pensée sans être envahies par les
distractions, prenez, prenez l'habitude que je vous
indique. Je sais que vous le pouvez. Durant de longues
années j'ai moi-même souffert de ne pouvoir fixer
mon esprit sur un seul sujet pendant l'oraison; et
c'est là une épreuve très pénible. Par ailleurs, je sais
que Notre-Seigneur ne nous laisse jamais dans un
tel isolement, qu'il ne nous tienne cependant compagnie lorsque nous l'en supplions humblement. Si nous
ne recevons pas cette faveur au bout d'une année,
travaillons plusieurs années pour l'obtenir. Ne regret-
tons pas un temps si bien employé. Et qu'est-ce qui
nous presse ? Vous pouvez donc, je le répète, vous
habituer à cette pratique, et travailler à vous tenir
dans la compagnie de ce véritable Maître.

Je ne vous demande pas en ce moment de fixer votre
pensée sur lui, ni de faire de nombreux raisonnements,
ou de hautes et savantes considérations. Je ne vous
demande qu'une chose : le regarder. Qu'est-ce qui
vous empêche de porter sur Notre-Seigneur le regard
de l'âme, ne serait-ce qu'un instant, si vous ne pouvez
faire plus ? Comment, vous pourriez voir les objets
les plus hideux, et vous n'auriez pas la faculté de considérer l'objet le plus ravissant qu'on puisse imaginer !
Car votre Époux, lui, ne vous perd jamais de vue;
il a supporté de vous mille péchés affreux, mille abominations, sans que son regard vous ait jamais quittées.
Est-ce donc trop pour vous que de détourner votre

regard des objets extérieurs pour le contempler lui-
même quelquefois ? Considérez qu'il n'attend de vous,
comme il le dit à l'Épouse, qu'un regard : et selon que
vous l'aurez aimé, mes filles, vous le trouverez; car
il estime tant ce regard qu'il ne négligera rien de son
côté pour l'avoir.

Voyez ce que fait, dit-on, la femme qui veut vivre
en bonne harmonie avec son mari; s'il est triste, elle
doit se montrer triste; s'il est joyeux elle doit, même
si elle ne connaît que la tristesse, se montrer joyeuse
aussi. Considérez en passant, mes sœurs, de quelle
sujétion vous êtes exemptes. Or telle est la conduite
que tient en toute vérité et sans l'ombre d'une feinte
Notre-Seigneur vis-à-vis de nous. Il se fait votre sujet
et il veut que vous soyez les souveraines. Il se soumet
à vos désirs. Etes-vous dans la joie ? contemplez-le
ressuscité. Vous n'avez qu'à vous imaginer avec quelle
gloire il est sorti du sépulcre, et vous serez dans l'allégresse. Et, en effet, quelle clarté, quelle beauté, quelle
Majesté, quelle gloire et quelle jubilation dans son
triomphe ! comme il sort glorieux du champ de bataille
où il a remporté cet immense royaume qu'il veut tout
entier pour vous, en même temps qu'il se donne Lui-
même à vous ! Est-ce donc beaucoup que vous éleviez
quelquefois les yeux vers Celui qui vous fait de telles
largesses ?

Êtes-vous dans le chagrin, ou la tristesse ? considérez-le, lorsqu'il se rend au jardin des Oliviers. Quelle
affliction profonde que celle qui remplissait son âme,
puisque étant la patience même, il manifeste ses souffrances et s'en plaint ! Ou bien encore, considérez-
le attaché à la colonne, abreuvé de douleurs, ayant
toutes les chairs en lambeaux, tant est grand l'amour
qu'il vous porte ! Voyez comment, au milieu de toutes
ces angoisses, il est persécuté par les uns, couvert de
crachats par les autres, renié, délaissé par ses amis, sans
que personne prenne sa défense, transi de froid, et
tellement isolé que vous pouvez bien vous consoler
l'un l'autre. Ou bien considérez-le, lorsqu'il est chargé
de la Croix et qu'on ne lui laisse même pas le temps de

respirer. Il tournera vers vous ses yeux si beaux et si compatissants, tout remplis de larmes. Il oubliera ses souffrances pour consoler les vôtres, uniquement parce que vous allez chercher de la consolation près de lui et que vous tournez la tête vers lui pour le regarder.

O Seigneur du monde, ô véritable époux de mon âme ! pouvez-vous dire, alors, si votre cœur s'attendrit de le voir dans un tel état que non seulement vous voulez le regarder, mais que c'est même une joie pour vous de vous entretenir avec lui; et sans lui adresser de discours étudiés, mais en lui exprimant la peine de votre cœur (car c'est là ce qui compte le plus pour lui), dites-lui : O mon Seigneur et mon Bien, êtes-vous donc réduit à une telle extrémité que vous daigniez agréer une aussi pauvre compagnie que la mienne ? A votre visage, je vois que vous êtes consolé de me voir près de vous. Comment est-il possible, Seigneur, que les Anges vous laissent seul, et que votre Père lui-même ne vous console pas ? Puisqu'il en est ainsi, Seigneur, et que vous consentez à endurer tant de souffrances par amour pour moi, qu'est-ce donc que ce que j'endure pour vous ? De quoi puis-je me plaindre ? Quelle confusion pour moi de vous voir en cet état ! J'accepte d'avance, Seigneur, toutes les épreuves qui me viendront; et je les regarderai comme un précieux trésor, puisqu'elles me permettront de vous imiter en quelque chose. Marchons ensemble, Seigneur, car j'irai partout où vous irez, je passerai partout où vous passerez.

Prenez, mes filles, votre part de cette croix du Sauveur, et ne vous préoccupez pas de vous voir foulées aux pieds par les Juifs. Aidez votre Époux à porter le fardeau qui l'accable, et ne faites aucun cas de ce que l'on vous dira. Fermez l'oreille aux murmures. Tombez plutôt avec votre Époux lorsqu'il tombera, mais ne vous séparez jamais de sa croix, ne l'abandonnez jamais. Voyez l'excès de fatigue où il se trouve, considérez combien ses souffrances surpassent les vôtres. Si grands que vous imaginiez vos tourments, et si sensibles qu'ils vous paraissent, vous serez consolées en voyant qu'ils sont des jeux d'enfants auprès de ceux du Seigneur.

Vous me direz peut-être, mes sœurs : Comment cela se peut-il ? Si nous avions pu voir Sa Majesté des yeux du corps au temps où Elle était sur la terre, nous aurions fait tout cela de grand cœur et notre regard ne se fût jamais détaché d'Elle. N'en croyez rien. Celui qui aujourd'hui ne veut pas faire le moindre effort pour considérer le Seigneur au-dedans de son âme, quand il ne court aucun danger et n'a à apporter qu'un tant soit peu de diligence, eût été tout à fait incapable de se placer au pied de la croix avec Madeleine, qui contemplait la mort face à face. Mais qui dira ce que devaient souffrir la glorieuse Vierge Marie et cette sainte bénie ? Que de menaces contre elles ! que d'injures ! que de mauvais traitements ! que d'insultes grossières ! Quels courtisans pleins d'égards elles avaient dans ces gens, ces ministres de l'enfer, ces instruments du démon ! Ah ! certes, ce qu'elles ont enduré devait être quelque chose de terrible; mais elles étaient insensibles à leurs propres souffrances, parce qu'elles avaient devant les yeux une autre douleur incomparablement plus cruelle. Ainsi donc, mes sœurs, n'allez pas croire que vous auriez pu supporter de pareilles épreuves, si vous ne pouvez vaincre la petite difficulté dont j'ai parlé; exercez-vous d'abord dans les petites choses, pour devenir capables d'en accomplir de plus grandes.

Voici un moyen qui pourra vous aider pour le point en question. Ayez soin d'avoir une image ou une peinture de Notre-Seigneur qui soit à votre goût. Ne vous contentez pas de la porter sur votre cœur, sans jamais la regarder, mais servez-vous en pour vous entretenir souvent avec lui; et il vous suggérera ce que vous aurez à lui dire. Vous savez bien vous exprimer quand vous parlez aux créatures, pourquoi ne trouveriez-vous pas des paroles lorsqu'il s'agit de vous entretenir avec Dieu ? Ne vous imaginez pas que cela soit au-dessus de vos forces; pour moi, je n'en crois rien, mais il faut vous y exercer. Le manque de rapports avec une personne fait qu'on éprouve en effet une certaine gêne en sa présence; on ne sait comment lui parler; il semble que nous ne la connaissions pas, alors même qu'elle serait de notre famille; nos proches eux-mêmes deviennent pour nous comme des étrangers quand nous n'avons plus de relations avec eux.

Un autre moyen excellent pour vous aider même à vous recueillir et à bien faire vos prières vocales, c'est de prendre un bon livre en langue vulgaire. Et ainsi, à l'aide de ces attraits ou de ces artifices, vous habituerez peu à peu votre âme à la méditation sans l'épouvanter. Considérez qu'il y a bien des années qu'elle s'est séparée de son Époux, et que jusqu'à ce qu'elle consente à retourner chez lui, il faudra user avec elle de beaucoup de diplomatie. Car nous sommes ainsi, nous, misérables pécheurs. Notre âme et nos pensées sont tellement habituées à rechercher ce qui leur plaît, ou plutôt ce qui les torture, que la pauvre âme ne se comprend pas elle-même. Pour qu'elle reprenne goût à se trouver chez elle, il faut employer beaucoup d'artifice. Si l'on n'agit pas progressivement, autant qu'habilement, on ne fera jamais rien.

Je vous le certifie de nouveau, si vous avez soin de pratiquer la méthode que je viens de dire, vous en retirerez un tel profit que, voudrais-je vous l'exprimer, il me serait impossible de le faire. Tenez-vous donc près de ce bon Maître; ayez la ferme résolution d'apprendre ce qu'il vous enseignera, et Sa Majesté veillera à ce que vous deveniez ses disciples fidèles; elle ne vous délaissera pas si vous ne la délaissez point vous-mêmes. Méditez les paroles que prononce cette bouche divine. Dès la première, vous comprendrez l'amour qu'il vous porte; et quelle joie, quel réconfort c'est pour un disciple que de se voir aimé de son Maître!

CHAPITRE XXIX

Ce chapitre expose quel grand amour le Seigneur
nous a montré dès les premières paroles du Pater,
et combien il importe de ne tenir aucun compte
des avantages de la naissance, si nous voulons
être les véritables filles de Dieu.

Notre Père qui êtes aux cieux. O mon Seigneur, comme il paraît bien que vous êtes le Père d'un tel Fils ! et comme votre Fils manifeste bien qu'il est le Fils d'un tel Père ! Soyez-en béni à jamais ! Cette phrase du *Pater* n'aurait-elle pas été une aussi grande faveur, ô Seigneur, si vous l'aviez placée à la fin de cette prière ? Or, c'est dès le début que vous nous remplissez les mains et que vous nous accordez une semblable faveur ! Notre entendement devrait en être tellement rempli, et notre volonté tellement pénétrée, qu'il nous soit impossible de proférer une parole. Ô mes filles, que ce serait bien ici le lieu de traiter de la contemplation parfaite ! Oh ! comme il serait juste que l'âme rentrât au-dedans d'elle-même ! Elle pourrait mieux alors s'élever au-dessus d'elle-même, et écouter ce que ce Fils béni lui apprend sur ce lieu où, comme il le déclare, se trouve son Père, qui est dans les cieux ! Quittons la terre, mes filles; il n'est pas juste qu'après avoir apprécié tout le prix d'une telle faveur, nous l'estimions si peu que nous restions encore en ce monde.

O Fils de Dieu, ô mon Seigneur ! comment, dès la première parole, nous donnez-vous tant de biens ? Vous vous humiliez à un tel excès que vous vous unissez à nous dans nos demandes, que vous vous faites le frère de créatures aussi basses et aussi misérables ! Comment nous donnez-vous au nom de votre Père tout ce qui peut être donné ? Ne voulez-vous pas qu'il

nous regarde comme ses enfants ? or, votre parole ne
peut manquer de se réaliser. Vous l'obligez à l'accomplir, ce qui n'est pas une petite charge. Dès lors qu'il
est notre Père, il doit nous supporter, malgré la gravité
de nos offenses. Il doit nous pardonner lorsque nous
retournons à lui comme l'enfant prodigue. Il doit nous
consoler dans nos épreuves. Il doit nous nourrir,
comme il convient à un tel Père, car il est forcément
meilleur que tous les pères qui sont ici-bas, puisqu'il
possède nécessairement tout bien parfait; et, en plus
de tout cela, il doit nous rendre participants et héritiers
de ses richesses avec vous.

Pensez, ô mon Seigneur, à l'amour que vous nous
portez et à votre si profonde humilité, et veillez
bien à ne reculer devant aucun obstacle. Après tout,
Seigneur, vous êtes descendu sur la terre et vous vous
êtes revêtu de notre chair, en prenant notre nature.
Il semble donc que vous ayez quelque motif de veiller
à nos intérêts. Mais considérez que votre Père est dans
les cieux; vous le dites vous-même. Il est donc juste
que vous preniez soin de sa gloire; puisque vous
vous êtes offert à la honte par amour pour nous, laissez
votre Père libre; ne l'obligez pas à répandre tant de
bienfaits sur une créature aussi vile que moi et aussi
peu reconnaissante.

O bon Jésus, comme vous montrez clairement que
vous ne faites qu'un avec lui, que votre volonté est
la sienne et que la sienne est la vôtre ! Quelle clarté dans
votre témoignage ! Quel amour que celui que vous nous
portez ! Vous avez agi de façon à cacher au démon
que vous êtes le Fils de Dieu, mais vu le désir immense
que vous avez de notre bien, vous surmontez tous les
obstacles pour nous faire connaître une si haute vérité.
Et qui donc, sinon vous, Seigneur, le pouvait ? Je ne
sais comment le démon, en entendant cette parole, n'a
pas connu d'une manière évidente qui vous étiez.
Au moins, ô mon Jésus, je vois bien que vous avez
parlé comme un Fils chéri et pour vous et pour nous;
et vous êtes tout-puissant pour accomplir au ciel
ce que vous dites sur la terre. Soyez béni à jamais,

ô mon Seigneur, vous qui aimez tant à donner qu'aucun obstacle ne saurait vous arrêter.

Eh bien, mes filles, ne vous semble-t-il pas un bon Maître, puisque, pour nous porter à apprendre ce qu'il nous enseigne, il commence par nous accorder une si haute faveur ? N'est-il donc pas juste maintenant qu'en prononçant du bout des lèvres cette parole : *Notre Père,* vous y apportiez toute votre attention pour la comprendre, et que votre cœur se brise de voir un si grand amour ?

Quel est le fils, en ce monde, qui ne cherche à bien connaître son père, quand il le sait bon, plein de majesté et de puissance ? S'il ne trouvait pas en lui ces qualités, je ne serais pas étonnée qu'il ne voulût point être reconnu pour son fils. Le monde est tel que, si le fils est dans une situation supérieure à celle de son père, il se croit déshonoré de le reconnaître pour tel. Ce n'est point notre cas à nous, et plaise à Dieu qu'il n'y ait jamais de pareils sentiments dans cette maison ! elle deviendrait un enfer. Celle qui est de plus haute naissance doit se rabaisser un peu, et ne pas avoir toujours le nom de son père à la bouche : car vous devez toutes vivre dans une égalité parfaite.

O collège formé par le Christ ! Saint Pierre n'était qu'un pêcheur, et le Seigneur lui conféra plus d'autorité qu'à saint Barthélemy, qui était fils de roi[1]. Sa Majesté savait bien ce qui devait arriver en ce monde, où l'on discute sans cesse pour savoir qui est fait de la plus fine pâte, et si on est destiné, en quelque sorte, à devenir brique ou torchis. Mon Dieu, quel tourment on se donne ! Dieu vous préserve, mes sœurs, de tomber dans de pareilles querelles, alors même que vous ne le feriez que par plaisanterie ! Oui, j'ai confiance que Sa Majesté vous en gardera. Si quelqu'une d'entre vous venait à s'oublier tant soit peu sur ce point, qu'on y porte remède immédiatement; que cette sœur

---

1. Cette affirmation de sainte Thérèse n'a aucun fondement historique, et elle se fait sans doute ici l'écho de quelque récit de la Légende Dorée.

craigne d'être comme Judas au milieu des Apôtres; qu'on lui impose des pénitences jusqu'au jour où elle comprendra qu'elle ne mérite même pas d'être la terre la plus vile.

Quel bon Père vous donne le bon Jésus ! N'en reconnaissez pas d'autre ici, puisque c'est de lui seul que vous devez vous entretenir. Appliquez-vous, mes filles, à devenir telles que vous méritiez de vous réjouir auprès de lui et de vous jeter dans ses bras. Vous le savez déjà, il ne vous éloignera pas de lui, si vous êtes de bonnes filles. Et qui de nous ne travaillerait à ne perdre jamais un tel Père ! O grand Dieu ! que de motifs de consolation j'aurais à vous exposer ici ! Pour ne pas m'étendre plus longuement, je les laisse à vos réflexions.

Si instable que soit votre pensée, tenez-vous entre un tel Fils et un tel Père, et vous trouverez forcément le Saint-Esprit. Qu'il daigne lui-même embraser vos cœurs et les enchaîner par les liens tout-puissants de sa charité, dès lors que le si grand intérêt que nous y avons n'y suffit pas !

CHAPITRE XXX

Où l'on expose ce que c'est que l'oraison
de recueillement et où l'on indique quelques
moyens pour s'y habituer.

Considérez maintenant que votre Maître a dit : *Qui êtes aux cieux.* Pensez-vous qu'il importe peu de savoir ce que c'est que le ciel, et en quel endroit vous devez chercher votre adorable Père ? Or, je vous assure que, pour des esprits distraits, il importe beaucoup, non seulement de croire à cette vérité, mais de chercher à la connaître par une expérience directe; car c'est là une des choses les plus propres à fixer l'entendement et à aider l'âme au recueillement. Vous savez que Dieu est en tout lieu. Or il est clair, comme le dit le proverbe, que là où est le Roi, là aussi est sa cour; donc là où est Dieu, là aussi est le ciel; et par conséquent, vous pouvez croire sans l'ombre d'un doute que là où est Sa Majesté, là aussi est toute la gloire.

Considérez ce que dit saint Augustin. Après avoir cherché Dieu en beaucoup d'endroits, il le trouva au-dedans de lui-même. Croyez-vous qu'il importe peu à une âme qui se distrait facilement de comprendre cette vérité, et de savoir qu'elle n'a pas besoin, pour s'adresser à son Père Éternel et se réjouir avec lui, de le chercher par tout le ciel ? Non, inutile de pousser des cris pour lui parler, car il est tellement près que, si bas qu'on lui parle, il entend. A quoi bon avoir des ailes pour aller à sa recherche ? Elle n'a qu'à se retirer dans la solitude et à le considérer au-dedans d'elle-même, sans s'étonner qu'un hôte semblable lui rende visite. Qu'elle s'humilie profondément; qu'elle lui parle comme à un père; le supplie comme un père; qu'elle lui expose ses épreuves et le conjure d'y porter remède, mais qu'elle comprenne bien qu'elle n'est pas digne d'être sa fille !

Loin de vous ces timidités excessives, où tombent certaines personnes qui les prennent pour de l'humilité ! Non, l'humilité ne consiste pas à refuser une faveur que nous fait le roi; mais à l'accepter en reconnaissant combien nous en sommes indignes et à nous réjouir de cette faveur. Belle humilité, vraiment ! Comment ! Le Souverain de la terre et des cieux viendrait en moi pour me combler de ses faveurs et prendre ses délices avec moi, et par humilité je ne voudrais ni lui répondre, ni rester avec lui, ni accepter ce qu'il me donne ! et je le laisserais seul ! et quand il me permet et me prie de lui présenter mes supplices, je croirais faire preuve d'humilité en restant dans ma pauvreté ! et je l'obligerais à s'en aller parce que je ne réponds pas à ses avances ? Laissez de côté, mes filles, cette prétendue humilité. Traitez avec lui comme avec un père, un frère, un Maître, un Époux. Considérez-le tantôt sous un rapport, tantôt sous un autre. Il vous enseignera lui-même ce que vous devez faire pour le contenter. Ne soyez pas si sottes que de ne rien demander. Dès lors qu'il est votre Époux, priez-le, au contraire, de tenir parole et de vous traiter comme ses Épouses.

Cette manière de prier, bien que vocale, aide l'esprit à se recueillir beaucoup plus rapidement que toute autre, et produit aussi les biens les plus précieux. On l'appelle oraison de recueillement, parce que l'âme y recueille toutes ses facultés et rentre au-dedans d'elle-même avec son Dieu. Là, son Maître divin réussit plus tôt que par tout autre moyen à l'instruire et à lui donner l'oraison de quiétude. Là, en effet, recueillie au-dedans d'elle-même, elle peut méditer la Passion, se représenter Dieu le Fils, l'offrir au Père céleste, sans se fatiguer l'esprit à aller le chercher sur la montagne du Calvaire, au Jardin, ou à la Colonne. Celles d'entre vous qui pourront se renfermer ainsi dans ce petit ciel de leur âme, où habite Celui qui l'a créé en même temps que la terre, et qui prendront l'habitude de ne rien regarder au dehors, ni de rester là où les sens extérieurs trouvent un élément de distractions, suivront, elles peuvent m'en croire, une voie excellente; elles arriveront, à coup sûr, à boire à la source d'eau vive. Par cette voie elles feront beaucoup de chemin en peu de temps, comme un voyageur qui, monté sur un navire que favorise un bon vent, arrive en quelques jours au but de son voyage, tandis que le trajet fait par terre eût été beaucoup plus long.

Ces âmes sont déjà, comme on dit, mises à flot. Bien qu'elles n'aient pas complètement quitté la terre, elles font, au moins durant l'oraison, ce qu'elles peuvent pour s'affranchir de ses lois, en recueillant leurs sens au-dedans d'elles-mêmes. Lorsque le recueillement est véritable, on le voit très clairement à un certain effet qu'il produit. Je ne sais comment vous le donner à entendre; mais quiconque l'aura éprouvé me comprendra. On dirait que l'âme, comprenant enfin que les choses de ce monde ne sont qu'un jeu, se lève au meilleur moment, et s'en va. Elle ressemble encore à un homme qui se réfugie dans une place forte pour n'avoir plus à redouter les attaques de l'ennemi. Les sens se retirent des objets extérieurs, et les méprisent tellement que les yeux du corps se ferment d'eux-mêmes pour ne plus considérer les créatures et pour que le regard de l'âme s'éveille davantage. Voilà pourquoi ceux qui suivent cette voie ont presque toujours les yeux fermés quand ils prient. C'est là d'ailleurs une coutume excellente pour beaucoup de choses. Sans doute il faut dans les débuts se faire violence pour ne point regarder les objets terrestres; mais ensuite cela n'est plus nécessaire. Au contraire, quand l'âme est dans l'oraison de recueillement, elle devrait faire un effort plus considérable pour tenir ouverts les yeux du corps.

L'âme semble alors comprendre qu'elle se fortifie, qu'elle acquiert de la vigueur aux dépens du corps, qu'elle le laisse seul et affaibli, qu'elle s'arme enfin pour le dompter. Ces effets ne sont pas très sensibles dans les commencements, parce qu'ils ne sont pas aussi profonds. Le recueillement d'ailleurs est plus ou moins grand. Mais que l'âme s'habitue à se recueillir et à mépriser la fatigue des débuts; car le corps veut réclamer ses droits, et il ne saurait comprendre qu'il cause sa propre perte en refusant de s'avouer vaincu. Si l'on continue de la sorte durant quelques jours et si l'on fait des efforts sérieux, on verra clairement quel profit en découle. Dès que l'âme se mettra à prier, elle verra ses sens se recueillir, comme les abeilles qui retournent à leur ruche et y entrent pour faire le miel. Il ne lui en coûtera aucun effort. Le Seigneur a voulu que, durant le temps où elle se faisait violence, l'âme ait mérité d'exercer de la sorte l'empire de sa volonté. A peine a-t-elle manifesté qu'elle veut se recueillir, que les sens obéissent et se replient au fond d'elle. Ils sortiront de nouveau; mais c'est déjà beaucoup qu'ils se soient soumis. Aussi ne sortent-ils plus que comme des sujets et des captifs, qui ne peuvent pas faire autant de mal que précédemment. Si la volonté les rappelle, ils reviennent avec une promptitude plus grande encore. Quand ils seront rentrés ainsi souvent, le Seigneur les établira dans la contemplation parfaite.

Tâchez de bien comprendre ce que je viens de dire; cela peut paraître obscur; mais qu'on le mette en pratique, et on le comprendra.

Les âmes qui marchent par cette voie semblent donc voguer sur mer avec rapidité. Or, puisqu'il est pour nous du plus haut intérêt d'éviter toute lenteur, montrons en quelques mots comment nous nous habituerons à une si excellente manière de procéder.

Ces âmes qui s'appliquent à recueillir leurs sens sont à l'abri d'une foule d'occasions dangereuses. Elles s'embrasent plus promptement du feu de l'amour divin. Comme elles sont près du foyer, il suffit du moindre souffle de leur entendement pour que tout prenne feu, dès que la moindre étincelle les touche. Dégagées des objets extérieurs et seules avec Dieu, elles sont admirablement disposées à s'embraser.

Sachons nous rendre compte qu'il y a au-dedans de nous un palais d'une richesse incomparable, tout d'or et de pierres précieuses, digne en un mot du Maître à qui il appartient. Considérez que vous concourez pour votre part, comme c'est la vérité, à sa beauté; il n'y a pas de palais dont la magnificence puisse être comparée à celle d'une âme pure et tout ornée de vertus; plus ces vertus sont élevées, plus les pierres précieuses du palais resplendissent. Représentez-vous encore que dans ce palais habite ce grand Roi qui, par sa bonté, a daigné se faire votre père, et qu'il réside sur un trône du plus haut prix, votre cœur.

Il vous paraîtra étrange, au premier abord, que je tienne ce langage et que j'use d'une telle comparaison pour vous donner à entendre la vérité de ce que je dis. Toutefois cela pourra vous être très utile, et à vous en particulier. Comme, en effet, nous autres femmes, nous n'avons reçu aucune instruction, nous avons besoin de ces considérations pour bien comprendre qu'il y a au-dedans de nous quelque chose d'incomparablement plus précieux que ce que nous voyons au dehors par les sens. N'allons pas nous imaginer que

tout notre intérieur est vide, et plût à Dieu qu'il n'y
eût que des femmes à partager cette illusion ! Si nous
avions soin de nous rappeler quel est l'hôte qui habite
notre âme, il nous serait impossible, selon moi, de
nous porter avec tant de passion aux choses de ce
monde. Nous verrions combien elles sont viles en
comparaison de celles que nous possédons au-dedans
de nous. Mais est-ce que nous n'imitons pas l'animal
qui, à la vue d'une proie qui lui plaît, se précipite
aussitôt sur elle pour assouvir sa faim ? Et pourtant,
quelle différence ne doit-il pas y avoir entre la brute
et nous ?

On rira peut-être de moi et l'on dira que c'est là une
vérité très claire, et l'on aura raison. Néanmoins, elle a
été obscure pour moi durant quelque temps. Je comprenais fort bien que j'avais une âme; mais de quel
prix était-elle ? quel hôte l'habitait ? voilà ce que
je ne comprenais pas, parce que les vanités de la vie
jetaient sur mon âme comme un bandeau qui l'empê-
chait de voir. Je ne comprenais pas comme aujourd'hui
que dans ce minuscule palais de mon âme habite un Roi
d'une telle Majesté. Sans cela, il me semble que je ne
l'aurais pas laissé si souvent seul. De temps en temps
au moins, je serais restée en sa compagnie, et j'aurais
veillé avec plus de soin à ce que ce palais fût moins
souvent souillé.

Mais quoi de plus admirable que de voir Celui qui
remplirait mille et mille mondes de sa grandeur se
renfermer dans une demeure aussi étroite ! A la vérité,
notre Maître est tout-puissant, il jouit de toutes les
libertés; et, comme il nous aime, il se met à notre
portée. Une âme qui débute dans cette voie serait
troublée en se voyant, elle si petite, destinée à renfermer en soi Celui qui est si grand. Mais le Seigneur ne se
manifeste pas à elle immédiatement : il agrandit peu
à peu sa capacité; il la dispose et la prépare aux dons
qu'il veut mettre en elle. J'ai dit qu'il jouit de toutes
les libertés, parce qu'il a le pouvoir d'agrandir ce
palais.

L'important pour nous, c'est de lui en faire un don

absolu après l'avoir débarrassé de tout objet créé,
pour qu'il puisse en disposer comme d'un bien propre.
Puisque Sa Majesté a raison de le vouloir ainsi, ne
lui refusons point ce qu'Elle demande. Dieu ne
force pas notre volonté; il prend ce que nous lui
donnons. Mais il ne se donne pas complètement, tant
que nous ne nous sommes pas, nous aussi, donnés à lui
complètement. Voilà un fait certain. Comme cette
vérité est extrêmement importante, je ne saurais trop
vous la rappeler. Le Seigneur ne peut agir librement
dans l'âme que quand il la trouve dégagée de toute
créature et toute à lui; sans cela, je ne sais comment
il le pourrait, lui qui est si ami de l'ordre. Or, si nous
remplissons notre palais de gens de basse condition
et de futilités, comment le Seigneur pourrait-il y
trouver place avec sa cour ? C'est déjà beaucoup
qu'il daigne venir un instant au milieu de tant d'embarras.

Croyez-vous, mes filles, qu'il vienne seul ? Ne voyez-
vous pas que son Fils lui dit : *Qui êtes dans les cieux ?*
Mais est-ce que par hasard les courtisans d'un tel
Roi le laisseraient seul ? Non certes. Ils sont près
de lui. Ils le prient pour tous les hommes et le conjurent
de nous combler tous de ses grâces, parce qu'ils sont
pleins de charité. Ne vous imaginez pas qu'ils agissent
comme les hommes ici-bas : un seigneur, en effet, ou
un prélat, ne saurait accorder une faveur à quelqu'un,
soit pour des motifs particuliers, soit simplement
parce que tel est leur bon plaisir, sans exciter aussitôt
la jalousie et la haine à l'égard de ce pauvre homme,
qui n'a pourtant fait de tort à personne.

CHAPITRE XXXI

Ce chapitre continue à donner des conseils pour arriver à l'oraison de recueillement, et dit combien peu nous devons nous soucier d'être dans les bonnes grâces des Supérieurs.

Pour l'amour de Dieu, mes filles, ne vous préoccupez point de ces faveurs de vos Supérieurs dont nous venons de parler. Chacune d'entre vous doit s'appliquer à faire ce qu'elle doit. Si le Supérieur ne vous en manifeste aucune satisfaction, le Seigneur, soyez-en certaines, n'y manquera pas, et saura vous payer de retour. Nous ne sommes certes pas venues ici chercher une récompense pour la vie présente. Mes filles, ayons toujours notre pensée fixée sur ce qui doit durer éternellement, sans nous soucier des choses d'ici-bas, qui disparaissent encore plus vite que nous-mêmes. Aujourd'hui, c'est telle sœur qui jouit de la faveur du Supérieur; demain ce sera vous, s'il découvre en vous plus de vertu; mais dans le cas contraire, quelle importance cela aurait-il ? N'ayez point de ces soucis, qui sont parfois peu de chose au début, mais qui peuvent vous causer beaucoup de trouble. Arrêtez-les promptement, en considérant que votre royaume n'est pas sur la terre et que tout passe avec une effrayante rapidité.

Ce moyen toutefois est bas, et ne dénote pas une grande perfection. Aussi le mieux pour vous sera de demeurer toujours dans la défaveur et l'abaissement. Désirez y rester par amour pour le Seigneur, qui s'y trouve avec vous. C'est vous-même qu'il vous faut regarder; considérez-vous dans l'intime de votre âme, comme je l'ai dit; vous y trouverez votre Maître, et lui ne vous manquera pas. Plus les consolations extérieures vous feront défaut, plus il vous comblera de joie. Il est plein de compassion, et n'abandonne jamais les âmes affligées et délaissées qui mettent en lui seul leur confiance. Voilà pourquoi David disait que le Seigneur est avec les affligés. Eh bien ! ou vous le croyez, ou vous ne le croyez pas; si vous le croyez, pourquoi donc vous mettre martel en tête ?

O mon Seigneur, si nous vous connaissions bien, aucune chose ne serait capable de nous causer du chagrin; car vous êtes vraiment libéral envers ceux qui mettent en vous toute leur confiance. Croyez-moi, mes amies, c'est une grande chose que de comprendre que telle est la vérité. On voit alors que toutes les faveurs d'ici-bas sont des mensonges, quand elles empêchent tant soit peu l'âme de se recueillir au-dedans d'elle-même. O mes filles, qui pourrait vous le faire comprendre ? Assurément, ce n'est pas moi. J'y suis tenue, j'en conviens, plus que personne; mais je suis loin moi-même de le comprendre comme il faut.

Je reviens à mon sujet. Je voudrais pouvoir vous expliquer comment ce cortège céleste qui entoure Celui qui nous tient compagnie, le Saint des saints, n'empêche pas la solitude de l'âme avec son Époux, lorsque cette âme veut rentrer au-dedans d'elle-même, dans ce paradis avec son Dieu, et ferme la porte derrière elle à toutes les choses du monde. Je dis : lorsqu'elle veut. Comprenez bien, en effet, qu'il ne s'agit pas ici d'une chose surnaturelle; elle dépend de notre volonté, et nous pouvons la réaliser avec l'aide de Dieu, sans lequel d'ailleurs on ne peut rien, pas même avoir une bonne pensée.

Je ne parle pas ici d'un silence de nos facultés, mais d'une retraite de ces facultés au-dedans de l'âme. Il y a beaucoup de moyens d'atteindre ce but. Comme l'indiquent quelques livres, nous devons nous séparer de tout afin de nous approcher intérieurement de Dieu. Au milieu de nos occupations nous devons nous retirer au-dedans de nous-mêmes, ne serait-ce qu'un instant, en nous rappelant seulement Celui qui nous tient compagnie; et cette pratique est extrêmement profitable. Enfin, nous devons nous habituer à goûter cette

vérité, qu'il n'est pas nécessaire d'élever la voix pour
lui parler, parce que Sa Majesté fera sentir sa présence.
De la sorte, nos prières vocales se réciteront dans un
grand repos, et nous éviterons beaucoup de fatigue.
Quand nous aurons fait effort pendant quelque temps
pour tenir compagnie à notre Seigneur, il nous comprendra parfaitement par signes, et si nous devions
auparavant réciter de nombreux *Pater* pour nous faire
entendre de lui, il nous entendra dès la première fois.
Il est très désireux de nous épargner la fatigue. Si
dans l'espace d'une heure nous ne disons qu'une fois
le *Pater*, c'est assez pourvu que nous comprenions
que nous sommes avec lui, que nous sachions ce que
nous lui demandons, quel désir il a de nous exaucer,
et quel plaisir il a de se trouver avec nous; il n'aime
pas que nous nous rompions la tête à lui adresser de
longs discours.

Que le Seigneur daigne apprendre cette manière
de prier à celles d'entre vous qui l'ignorent. Pour moi,
j'avoue que je n'ai jamais su ce que c'était que de
prier en connaissant la satisfaction intérieure, jusqu'au jour où le Seigneur me l'a enseignée. C'est
parce que l'habitude de ce recueillement intime m'a
procuré les plus grands profits que je me suis tant
étendue sur ce point.

Je termine, en disant que celui qui voudra parvenir
à cet état, qui est, je le répète, à notre portée, ne
doit pas se décourager. Qu'il s'habitue à ce que j'ai
dit, et peu à peu, il se rendra maître de lui-même; au
lieu de s'égarer en pure perte, il se gardera pour son
propre avantage en faisant servir ses sens eux-mêmes
au recueillement intime de l'âme. S'il parle, il se sou-
viendra qu'il a en lui-même quelqu'un à qui parler.
S'il entend parler, il se rappellera qu'il doit prêter
l'oreille à celui qui lui parle de plus près. Enfin il
considérera qu'il peut, s'il le veut, ne se séparer jamais
d'une si bonne compagnie; et il regrettera vivement
tout le temps qu'il aura laissé seul un Père dont le
secours lui est indispensable. Qu'il se rappelle souvent
sa présence pendant le jour, ou au moins quelquefois.

Qu'il s'habitue à cette pratique, et tôt ou tard il en retirera profit. Quand enfin il aura obtenu cette grâce du Seigneur, il ne voudra plus l'échanger pour tous les trésors du monde.

Puisqu'on n'apprend rien sans quelque peine, je vous en conjure, mes sœurs, pour l'amour de Dieu, regardez comme bien employés tous les efforts que vous ferez dans ce but. Je sais que, si vous vous y appliquez, vous réussirez avec l'aide de Dieu au bout d'un an, peut-être même au bout de six mois. Voyez combien ce temps est court pour acquérir une grâce si élevée que celle de poser un fondement solide à ces grandes choses auxquelles le Seigneur daignera peut-être vous appeler. Il découvrira en vous de bonnes dispositions, sitôt qu'il vous trouvera près de lui. Plaise à Sa Majesté de ne jamais permettre que nous nous éloignions de sa présence ! Ainsi soit-il.

CHAPITRE XXXII

Ce chapitre expose combien il est important
de comprendre ce que l'on demande dans l'oraison ;
il traite de ces paroles du Pater : Sanctificetur nomen
tuum, adveniat regnum tuum, *et les applique*
à l'oraison de quiétude dont il commence à parler.

Quel est l'homme, si inconsidéré qu'il soit, qui, voulant demander une grâce à une personne d'un rang élevé, ne songe tout d'abord à la manière de lui présenter sa requête pour lui être agréable et ne la froisser en rien ? Ne doit-il pas savoir ce qu'il désire et quel besoin il en a, surtout s'il sollicite une faveur importante, comme celle que nous enseigne à demander notre bon Jésus ?

Voici, à mon avis, une chose vraiment digne de notre attention. Ne pouviez-vous pas, ô mon Seigneur, vous contenter d'une seule parole et dire : Donnez-

nous, ô Père, ce qui nous convient ? Cela suffisait, ce
me semble, puisqu'il comprend tout si bien. O Sagesse
Éternelle ! Cette seule parole était suffisante pour vous
et votre Père : et c'est ainsi que vous vous êtes exprimé
au jardin des Oliviers. Vous lui avez manifesté votre
désir et votre crainte; puis vous vous êtes soumis à
sa volonté. Mais, ô mon Seigneur, vous nous con-
naissiez; vous saviez que nous sommes loin de nous
conformer comme vous à la volonté de votre Père, et
qu'il était nécessaire de bien préciser nos demandes afin
de nous porter par là à considérer si ce que nous demandons nous convient, et à ne pas le demander dans le
cas contraire. Nous sommes ainsi faits, que si l'on ne
nous donne pas ce que nous voulons, notre " libre
arbitre ", hélas, refuse ce que le Seigneur voudrait
nous donner, alors même que ce serait meilleur pour
nous; d'ailleurs, si l'argent ne nous remplit aussitôt
les mains, nous ne pensons jamais nous voir riches un
jour. O grand Dieu, comment notre foi est-elle si
endormie et ne croyons-nous pas à la certitude des
peines et des récompenses futures ? Cela est sûr, pourtant, et c'est pourquoi, mes filles, vous devez savoir
ce que vous demandez dans le *Pater*, afin que si le
Père éternel vous l'accorde, vous ne le refusiez pas
avec insolence. Considérez donc avec le plus grand
soin si ce que vous demandez vous est utile. S'il ne
l'est pas, ne le demandez pas, mais priez Sa Majesté
de vous donner sa lumière. Nous sommes aveugles;
aussi nous sommes dégoûtés des mets qui nous donne-
raient la vie, et nous nous portons vers ceux qui doivent
nous donner la mort. Et quelle mort que celle-là !
Affreuse et éternelle !

Or le bon Jésus nous invite à dire ces paroles par
lesquelles nous demandons que le royaume de Dieu
vienne en nous : *Que votre nom soit sanctifié ; que votre
règne nous arrive.*

Admirez maintenant, mes filles, quelle est la sagesse
infinie de notre Maître, et considérez bien ici ce que
nous demandons par ce royaume, car il est bon de
nous en rendre compte. Sa Majesté a vu que nous ne

pouvions, à cause de notre faiblesse, sanctifier, louer, exalter, glorifier dignement ce Nom béni du Père éternel si elle ne daignait y pourvoir en nous donnant dès ici-bas son royaume; voilà pourquoi le bon Jésus a placé ces deux demandes l'une à côté de l'autre. Il veut nous faire comprendre non seulement ce que nous demandons, mais combien il nous importe d'insister pour l'obtenir sans jamais rien négliger pour plaire à celui qui doit nous le donner. Je veux vous dire ici ma pensée sur ce sujet. Dans le cas où elle ne vous plairait pas, appliquez-vous à d'autres considérations; notre Maître vous y autorise, pourvu que nous nous soumettions en tout aux enseignements de l'Église, comme je le fais moi-même en ce moment.

Maintenant voici, à mon avis, le bonheur immense que l'on goûte, entre beaucoup d'autres, dans le royaume du ciel. L'âme n'y fait plus aucun cas des choses de la terre; elle trouve le repos et la gloire au-dedans d'elle-même; elle se réjouit de la joie de tous; elle possède une paix perpétuelle; elle éprouve une satisfaction profonde en voyant que tous les élus sanctifient ou louent le Seigneur et bénissent son nom, sans que personne ne l'offense. Tous, en effet, l'aiment, et l'âme elle-même n'a d'autre occupation que celle de l'aimer; elle ne peut cesser de l'aimer, parce qu'elle le connaît. C'est de la sorte que nous l'aimerions sur la terre, si nous le connaissions; sans doute ce ne serait ni avec la même perfection, ni aussi essentiellement que les habitants du ciel; mais nous l'aimerions d'une tout autre manière que nous ne le faisons.

Je semble vouloir dire que nous devons être des anges pour adresser cette demande et bien prier vocalement. Certes, notre divin Maître le désirerait, puisqu'il nous prescrit de lui faire une demande si élevée; mais à coup sûr, il ne nous fait pas demander des choses impossibles. Une âme, vivant encore dans cet exil, peut donc l'obtenir avec la grâce de Dieu. Sans doute, elle n'arrivera jamais à aimer Dieu avec cette perfection des âmes qui sont déjà délivrées de la prison du corps, car elle vogue encore sur la mer; son voyage continue toujours. Néanmoins, il y a des moments où le Seigneur, la voyant fatiguée de la route, met d'abord toutes ses facultés en repos, puis la met elle-même dans un calme profond; et il lui fait alors clairement comprendre, comme s'il lui parlait par signes, quelle est la saveur des faveurs réservées aux habitants de ce royaume. Quand il accorde cette grâce, que nous lui demandons tous, il accorde en même temps de tels gages d'amour que l'âme y entretient le ferme espoir d'aller jouir toute l'éternité de ce qu'elle ne peut goûter ici-bas que rarement.

Si vous ne deviez pas m'accuser de traiter de la contemplation, cette demande du *Pater* me fournirait ici une belle occasion de vous parler quelque peu du commencement de la pure contemplation, appelé oraison de quiétude par ceux qui en sont favorisés. Mais je vous ai promis de ne m'occuper que de la prière vocale, et il semble que les deux ne vont pas ensemble quand on n'en a pas l'expérience. Pour moi, je sais qu'elles s'allient très bien. Pardonnez-moi donc si je vous en parle.

Je connais, en effet, beaucoup de personnes qui prient vocalement, comme je l'ai dit, et que Dieu élève, sans qu'elles sachent comment, à une haute contemplation. J'en connais une en particulier qui n'a jamais pu faire d'autre oraison que l'oraison vocale; or, en y étant fidèle, elle avait tout à la fois. Si elle ne priait pas tout haut, son esprit s'égarait de telle sorte que c'était un supplice. Mais plût à Dieu que nous eussions toutes une oraison mentale aussi parfaite que l'était son oraison vocale ! Pour réciter quelques *Pater* en songeant aux mystères où Notre-Seigneur a répandu son sang, et pour dire quelques autres prières, elle employait plusieurs heures. Elle vint un jour me trouver toute désolée de ce que, ne sachant pas faire l'oraison mentale, elle ne pouvait pas se livrer à la contemplation et ne faisait que réciter des prières vocales. Je lui demandai ce qu'elle récitait; et je vis que, fidèle à réciter le *Pater*, elle était arrivée à l'oraison de pure contemplation; Notre-Seigneur l'élevait même jusqu'à l'oraison d'union. On voyait bien d'ailleurs à ses œuvres qu'elle devait recevoir de très hautes faveurs, parce qu'elle menait une vie très sainte. Je ne pus m'empêcher d'en louer le Seigneur, et je portai envie à son oraison vocale. Or si cela est la vérité, comme ce l'est en effet, ne croyez pas, vous qui êtes ennemis des contemplatifs, que vous ne le serez point, si vous récitez vos prières comme il faut et avec une conscience pure.

CHAPITRE XXXIII

Ce chapitre continue le même sujet,
expose ce que c'est que l'oraison de quiétude et donne
quelques avis pour les âmes qui en sont favorisées.
Ce chapitre est très important.

Maintenant, mes filles, je vais vous exposer ce que c'est que l'oraison de quiétude, d'après ce que j'en ai entendu dire, ou d'après ce que Notre-Seigneur a daigné m'en faire connaître, afin sans doute que je vous le dise. C'est là, à mon avis, que le Seigneur, comme je l'ai déjà dit, nous montre qu'il entend notre demande. Il commence à nous donner son royaume ici-bas, pour que nous puissions le louer véritablement, sanctifier son nom, travailler enfin à ce que toutes les créatures le louent et le sanctifient. Cette faveur est déjà une chose surnaturelle et au-dessus de tous nos efforts, quels qu'ils soient. L'âme entre alors dans la paix, ou, pour mieux dire, le Seigneur l'y met par sa présence, comme il fit pour le juste Siméon. Toutes ses facultés sont dans le repos, et, sans le moindre secours des sens extérieurs, elle sent alors qu'elle est tout près de son Dieu, et que, pour peu qu'elle s'en approchât davantage, elle deviendrait par l'union une même chose avec lui. Mais elle ne le voit ni des yeux du corps, ni des yeux de l'âme. Le juste Siméon, en regardant le glorieux Enfant Jésus, ne voyait, lui non plus, qu'un enfant pauvre. S'il en avait jugé par les langes qui l'enveloppaient et le peu de personnes qui l'accompagnaient, il l'aurait pris plutôt pour le fils de quelque pauvre que pour le Fils du Père céleste. Mais le divin Enfant se manifesta à lui. C'est de cette sorte qu'il se fait connaître ici à l'âme, bien que ce ne soit pas avec la même clarté, car elle ne sait pas encore comment elle comprend. Elle voit seulement qu'elle est dans le royaume, ou du moins près du roi qui doit le lui donner, et elle se sent pénétrée d'un tel respect qu'elle n'ose rien lui demander. C'est comme un engourdissement des facultés intérieures et extérieures. L'homme extérieur (c'est-à-dire le corps, pour être plus claire), ne voudrait pas bouger; il ressemble à un homme qui, presque arrivé au terme du voyage, prend un peu de repos pour y trouver un redoublement de forces et continuer sa marche avec plus de courage. Le corps éprouve une délectation profonde, et l'âme un bonheur égal. Celle-ci est si heureuse de se voir seulement près de la fontaine que, même avant de s'y désaltérer, elle est déjà rassasiée. Elle s'imagine qu'elle n'a plus rien à désirer; ses puissances sont dans une telle quiétude qu'elles ne voudraient pas se remuer; de fait, tout semble l'empêcher d'aimer. Toutefois les puissances de l'âme ne sont pas tellement enchaînées qu'elles ne pensent à celui auprès de qui elles se trouvent. Deux d'entre elles restent libres. La volonté seule est captive, et l'unique peine qu'elle puisse avoir alors, c'est de considérer qu'elle doit recouvrer sa liberté. L'entendement ne voudrait plus comprendre qu'une seule chose, la mémoire n'en renfermer plus qu'une seule; tous deux voient que celle-là seule est nécessaire, et que tout le reste ne saurait que les troubler.

Ceux qui sont dans cet état voudraient que leur corps ne bougeât plus, de peur de perdre cette paix, si bien qu'ils n'osent faire le moindre mouvement. Il leur est pénible de parler, et ils pourront mettre une heure pour dire un seul Pater; l'âme d'ailleurs se voit si près de son Dieu qu'ils se comprennent déjà mutuellement par signes. Ils se trouvent dans le palais du roi et voient qu'il commence à leur faire don, dès ici-bas, de son royaume; il leur semble ne plus être de ce monde et ils voudraient n'en plus rien voir ni entendre pour voir et entendre seulement leur Dieu. Rien ne les peine, et rien non plus, me semble-t-il, ne peut les peiner. Enfin pendant le temps que durent cette satisfaction et ce bonheur intimes, ces âmes sont tellement enivrées et absorbées qu'elles ne se souviennent pas qu'il leur reste encore quelque chose de plus à désirer, et elles diraient volontiers comme saint Pierre : *Seigneur, dressons ici trois tentes.*

Dieu accorde parfois dans cette oraison de quiétude une autre faveur très difficile à comprendre, à moins qu'on n'en ait été souvent favorisé : celle d'entre vous qui en aura quelque expérience me comprendra aussi-tôt, et elle goûtera une vive consolation quand elle saura ce que c'est. Je crois même que Dieu accorde souvent cette faveur en même temps que la précédente.

Lorsque la quiétude est profonde et se prolonge, la volonté, d'après moi, ne pourrait demeurer longtemps dans ce repos, si elle n'était retenue à quelque objet. Or il nous arrive de rester ainsi un jour ou deux, pleins de cette félicité, sans comprendre comment cela se fait. Ils voient avec évidence (je parle toujours de ceux qui jouissent de cette faveur) qu'ils ne sont pas tout entiers à leurs occupations extérieures. Il y manque le principal, je veux dire la volonté, qui, à mon avis, est alors unie à son Dieu et laisse les autres facultés de l'âme libres afin qu'elles s'occupent du service de sa gloire. Pour cela elles possèdent beaucoup plus d'habileté que d'ordinaire, tandis que pour les choses du monde elles sont impuissantes, et parfois même comme hébétées.

C'est une grande grâce que celle-là. Les deux vies, l'active et la contemplative, marchent alors de pair. Tout en nous s'occupe à l'unisson de la gloire de Dieu : la volonté est à son poste, sans comprendre comment elle travaille; elle est dans la contemplation; les autres puissances font l'office de Marthe, et, de la sorte, Marthe et Marie vont ensemble.

Je connais une personne à qui Dieu accordait souvent cette grâce [1]. Comme elle ne pouvait la comprendre, elle s'adressa à un grand contemplatif [2]. Celui-ci lui dit que cela était fort possible et qu'il lui en arrivait autant. Voilà pourquoi, dès lors que l'âme goûte tant de bonheur dans cette oraison de quiétude, la volonté doit, à mon avis, se trouver, pendant presque toute la durée de cette faveur, unie à celui qui seul peut la satisfaire.

Il me semble bon de donner ici quelques avis à celles d'entre vous, mes sœurs, que le Seigneur, par pure bonté, élève à cet état; et je sais qu'il y en a plusieurs.

Tout d'abord, comme elles se voient en possession d'un tel bonheur, qu'elles ne savent comment il leur est venu, mais qu'elles constatent au moins qu'il est au-dessus de leurs efforts, elles sont exposées à la tentation de s'imaginer qu'elles peuvent le garder à leur guise, aussi ne voudraient-elles même pas respirer. C'est là de la simplicité. Car s'il ne dépend pas de nous que le jour se lève, nous ne pouvons pas non plus empêcher la nuit d'arriver; de même cette faveur n'est-elle plus en notre pouvoir; elle est entièrement surnaturelle et nous ne pouvons rien faire pour l'obtenir. Le meilleur moyen de la conserver est de comprendre clairement qu'il nous est impossible d'en rien retrancher, ou d'y rien ajouter, que nous en sommes parfaitement indignes et que nous devons la recevoir avec reconnaissance, non en prononçant beaucoup de paroles, mais en élevant le regard vers le ciel, comme le publicain.

Il est bon de rechercher alors une plus grande solitude pour donner plus de liberté d'action au Seigneur et laisser Sa Majesté travailler notre âme à sa guise.

---

1. La Sainte elle-même.
2. " Le Père François, de la Compagnie de Jésus, qui avait été duc de Gandie et qui connaissait bien ces choses par expérience. " *Note de la Sainte à la copie de Tolède.* (Ce Père François, qui conseilla sainte Thérèse, n'est autre que saint François Borgia.)

Il faut tout au plus prononcer de temps en temps une parole douce comme le souffle qui ranime la bougie éteinte, mais qui, je crois, suffirait à l'éteindre si elle brûlait encore. Je dis que le souffle doit être doux, de peur qu'en cherchant beaucoup de paroles avec l'entendement, nous n'occupions trop la volonté.

Considérez avec beaucoup d'attention, mes amies, un autre avis que je veux vous donner. Vous constaterez souvent alors que vous ne pouvez venir à bout de l'entendement et de la mémoire. L'âme se trouvant dans une quiétude profonde, il arrive parfois que l'entendement soit complètement troublé : il lui semble que ce n'est point dans sa maison que cela se passe; il s'imagine être pour ainsi dire comme un hôte dans une maison étrangère où il n'est pas content de se trouver, et il en cherche une autre, parce qu'il ne sait pas se fixer. Peut-être mon entendement est-il le seul qui soit fait de cette sorte, et que les autres ne sont pas ainsi. C'est donc à moi-même que je m'adresse. Aussi il me vient parfois le désir de mourir, parce que je ne puis remédier à cette mobilité de l'entendement.

Dans d'autres circonstances, il semble se fixer dans sa demeure et y tient compagnie à la volonté. Lorsque les trois puissances de l'âme sont en bonne harmonie, elles connaissent un vrai paradis. Il en est alors comme de deux époux qui s'aiment bien : chacun veut ce que l'autre veut; mais s'ils sont mal assortis, voyez le chagrin qu'un mari peut causer à sa femme.

Lorsque la volonté est dans cette quiétude, elle ne doit pas faire plus de cas de l'entendement que d'un fou. Si elle veut l'attirer à elle, il lui arrivera forcément d'être distraite et quelque peu troublée. Au degré d'oraison où elle est parvenue, tout cela ne serait que fatigue pour elle; elle n'y gagnerait rien et ne ferait que perdre, au contraire, ce que le Seigneur lui donne sans aucune fatigue de sa part.

Remarquez bien cette comparaison qui me semble très juste. L'âme est alors comme l'enfant à la mamelle qui, reposant sur le sein de sa mère, reçoit, sans avoir besoin de téter, le lait que celle-ci lui fait couler dans la bouche pour le régaler. Voilà l'image de ce qui se passe ici. La volonté est occupée à aimer, sans le moindre travail de l'entendement. Le Seigneur veut que, sans même qu'elle y pense, elle comprenne qu'elle est avec lui, qu'elle s'occupe uniquement de boire le lait que Sa Majesté lui met dans la bouche, et en savoure les douceurs. Il veut qu'elle sache que le Seigneur lui fait cette grâce, et jouisse de ses délices, mais non qu'elle cherche à comprendre comment elle en jouit, ni ce qu'est la faveur dont elle jouit. Elle doit s'oublier alors elle-même; car celui qui est près d'elle ne manquera pas de pourvoir à ce qui lui convient. Si elle se mêle d'entrer en lutte avec l'entendement pour le ramener à elle et lui faire part de son bonheur, elle ne pourra fournir à tout ; elle laissera forcément tomber le lait de sa bouche, et perdra cet aliment divin.

La différence qu'il y a entre cette oraison de quiétude et celle où l'âme est complètement unie à Dieu, c'est que dans celle-ci elle n'a même pas besoin d'avaler la nourriture. Elle la trouve au-dedans d'elle-même, sans comprendre comment le Seigneur l'y a mise. Dans l'oraison de quiétude, au contraire, le Seigneur semble lui laisser un peu de travail à faire par elle-même, bien que ce travail soit accompagné de tant de paix qu'elle ne le sent pour ainsi dire point. Ce qui la tourmente alors, c'est l'entendement. Mais cela n'existe plus quand il y a union des trois puissances, car celui qui les a créées suspend leur activité naturelle; il les inonde d'une telle joie qu'il les ravit sans qu'elles sachent comment, et sans qu'elles puissent le comprendre.

Lorsque l'âme est élevée à l'oraison de quiétude, elle éprouve un contentement paisible et profond dans la volonté. Elle ne saurait, il est vrai, dire d'une manière précise ce qu'est cette faveur. Elle peut, du moins, affirmer qu'elle est très différente de toutes les joies d'ici-bas, et que l'empire du monde avec tous ses plaisirs ne saurait lui procurer cette satisfaction dont elle jouit dans l'intime de sa volonté; car les joies de la terre, ce me semble, n'affectent que l'extérieur et pour ainsi dire l'écorce de la volonté.

L'âme une fois élevée à un tel degré d'oraison, qui est, je le répète, évidemment surnaturel, ne doit pas se préoccuper si l'entendement, ou, pour être plus claire, si notre pensée se porte aux rêveries les plus insensées. Qu'elle se contente d'en rire, et le regarde comme un fou. Qu'elle reste dans sa quiétude, tandis que l'entendement va et vient. La volonté est ici souveraine et toute-puissante. Elle le ramènera, sans courir après lui. Si elle voulait le ramener par la violence, elle perdrait l'ascendant qu'elle a sur lui et qu'elle puise dans l'aliment divin dont elle se nourrit. Ni l'un ni l'autre n'y gagnerait, mais ils y perdraient tous les deux.

Qui trop embrasse mal étreint, dit-on. Il en sera de même ici, me semble-t-il, comme l'expérience vous le fera comprendre. Sans elle, je ne serais pas étonnée que mon langage paraisse très obscur et mon conseil inutile. Mais, je le répète, pour peu qu'on en ait, on me comprendra, on pourra en tirer profit et on louera le Seigneur qui m'a accordé la grâce de réussir à en parler ici.

Enfin je dirai que l'âme élevée à cette oraison peut bien croire que le Père éternel a déjà, lui semble-t-il, exaucé sa requête, et lui a donné ici-bas son royaume. O la belle demande que celle où nous sollicitons un si grand bien sans le comprendre ! O la belle manière de demander ! Voilà pourquoi je voudrais, mes sœurs, que nous considérions bien comment nous récitons cette prière du *Pater* et toutes les autres prières vocales. Quand Dieu accorde une telle faveur à une âme, elle doit n'avoir nul souci des choses du monde. Dès lors que le Maître du monde arrive en elle, il en chasse toutes les créatures. Je ne dis pas que tous ceux qui jouissent de cette grâce sont par le fait même détachés de tout ; mais je voudrais, du moins, qu'ils comprennent ce qui leur manque, qu'ils s'humilient et s'exercent à vivre dans un détachement absolu. Sans cela, ils ne feront aucun progrès.

Quand une âme reçoit de telles marques d'amour,

c'est un signe que Dieu l'appelle à de grandes choses. Si elle n'est pas infidèle à la grâce, elle atteindra une grande perfection. Quand Dieu, au contraire, après avoir établi son royaume dans sa demeure, voit qu'elle se retourne vers la terre, non seulement il ne lui fera point connaître les secrets de son royaume, mais il ne lui accordera plus cette grâce qu'à de rares intervalles et durant un très court espace de temps. Il est possible que je me trompe sur ce point; néanmoins, je vois et je sais que les choses se passent de la sorte. Je suis même persuadée que c'est là le motif pour lequel beaucoup d'âmes ne montent pas plus haut dans la vie spirituelle. Comme elles ne conforment pas leurs œuvres à une telle grâce; qu'elles ne se disposent pas à la recevoir de nouveau, qu'elles retirent même leur volonté des mains du Seigneur qui la regardait déjà comme sienne et qu'elles la portent à des choses viles, Dieu va chercher des âmes qui l'aiment véritablement afin de leur accorder de plus hautes faveurs. Toutefois, il n'enlève pas complètement à celles-là ce qu'il leur avait donné, lorsqu'elles gardent une conscience pure.

Il y a cependant des personnes, et j'ai été de ce nombre, que Notre-Seigneur remplit de sentiments de dévotion, auxquelles il envoie de saintes inspirations et découvre le néant de toutes choses, à qui enfin il donne son royaume en leur accordant cette oraison de quiétude — et qui font la sourde oreille. Elles sont tellement avides de réciter et de dire des prières vocales qu'elles ressemblent à celui qui, s'étant fixé la tâche d'en réciter tous les jours un nombre déterminé, tâche d'en finir au plus vite. Et quand le Seigneur leur remet son royaume entre leurs mains, elles le refusent; elles pensent faire mieux que le Seigneur avec toutes leurs prières, et, finalement, perdent tout recueillement.

Pour vous, mes sœurs, n'agissez pas ainsi. Tenez-vous, au contraire, sur vos gardes, lorsque le Seigneur vous accordera un pareil bienfait. Sans cela vous perdriez un précieux trésor. Sachez que vous faites beaucoup plus en prononçant de temps en temps une

seule parole du *Pater*, qu'en le récitant souvent à la
hâte. Celui que vous priez est tout près de vous.
Il ne manquera pas de vous entendre. C'est ainsi,
croyez-moi, que vous le bénirez véritablement et que
vous sanctifierez son nom. Vous glorifierez le Seigneur comme doit le faire une personne de sa maison;
vous le louerez avec plus d'affection et d'amour;
il vous semblera enfin que vous ne pouvez plus cesser
de travailler à sa gloire.

CHAPITRE XXXIV

Ce chapitre traite de ces paroles du Pater :
Que votre volonté soit faite sur la terre comme au ciel;
il montre quel mérite il y a à réciter ces paroles
avec un détachement de soi absolu,
et quelle magnifique récompense on reçoit alors de Dieu.

Notre bon Maître a demandé pour nous, et nous a
enseigné à demander, des biens d'une telle valeur qu'ils
renferment tout ce que nous pouvons désirer sur la
terre; ne nous accorde-t-il pas en effet la faveur la
plus haute quand il nous met au nombre de ses frères ?
Voyons maintenant ce qu'il veut que nous donnions
à son Père, ce qu'il lui offre pour nous et ce qu'il
demande de nous; car il est juste que nous fassions
quelque chose pour répondre à de telles grâces. O bon
Jésus, comme ce que vous donnez de notre part est
peu de chose en comparaison de ce que vous demandez
pour nous ! Ce peu n'est-il pas en soi un pur néant,
en comparaison de ce que nous devons à un tel Souverain ? Mais, ô mon Seigneur, il est certain que vous
ne nous laissez pas sans rien : car nous donnons ainsi
tout ce que nous pouvons, si toutefois nous donnons
bien autant que nous le disons.

Que votre volonté soit faite sur la terre comme au ciel.
Vous avez bien fait, ô notre bon Maître, de présenter

à votre Père la demande précédente, pour que nous puissions réaliser ce que vous donnez maintenant en notre nom. Sans cela, Seigneur, il me paraît hors de doute que nous n'aurions pu le faire. Mais puisque votre Père nous donne son royaume ici-bas, comme vous le lui demandez, je sais que nous ne vous infligerons pas de démenti; nous accomplirons ce que vous promettez pour nous. Car une fois mon âme, toute terrestre qu'elle est, transformée en ciel, il vous devient possible d'accomplir votre volonté en moi. Sans cela, une terre aussi vile et stérile que la mienne, de quoi serait-elle capable ? Je me le demande, Seigneur, car c'est une grande chose que vous offrez en notre nom !

Quand je pense à cela, je ris de ces personnes qui n'osent demander des épreuves à Dieu, dans la crainte d'être exaucées aussitôt. Je ne parle pas de celles qui en sont empêchées par un sentiment d'humilité et s'imaginent qu'elles ne pourront les supporter : car je suis assurée que Celui qui nous donne assez d'amour pour demander de lui prouver notre dévouement par un moyen si difficile, nous donnera en même temps assez d'amour pour bien souffrir.

Mais je voudrais bien savoir de ceux qui ne demandent pas d'épreuves, de peur d'être exaucés aussitôt, ce qu'ils veulent dire, quand ils supplient le Seigneur d'accomplir en eux sa volonté. Le disent-ils parce que tout le monde le dit, sans avoir cependant l'intention de s'y conformer dans la pratique ? Cela, mes sœurs, ne serait pas bien.

Voyez donc comment notre bon Jésus se montre par là notre ambassadeur. N'a-t-il pas voulu s'interposer entre nous et son Père ? (et combien lui en a-t-il coûté !) Ce qu'il offre pour nous, il ne serait donc pas juste que nous refusions de l'accomplir; ou alors, ne disons pas que nous sommes prêts à le faire.

Voici encore un autre motif : que nous le voulions ou non, mes filles, persuadez-vous bien que sa volonté doit s'accomplir au ciel et sur la terre. Croyez-m'en, suivez mon conseil, et faites de nécessité vertu.

O mon Seigneur, quelle faveur pour moi que vous n'ayez pas laissé à la merci d'une volonté aussi faible que la mienne l'accomplissement de la vôtre ! Soyez-en béni à jamais ! Que toutes les créatures vous en louent ! Que votre nom en soit éternellement glorifié ! Quel triste sort que le mien, ô Seigneur, s'il dépendait de moi que votre volonté s'accomplisse ou non ! En ce moment, je vous donne librement la mienne, bien que ce soit à une heure où elle n'est pas désintéressée. Je sais en effet, par une longue expérience, le profit que ma volonté trouve à se livrer librement à la vôtre. Quels avantages, mes amies, il y a à cela ! et quelle perte ce serait si nous n'accomplissions pas ce que nous disons au Seigneur, lorsque nous lui présentons cette supplique du *Pater* !

Avant de vous parler des avantages dont il est ici question, je veux vous exposer la grandeur de l'offrande elle-même. De la sorte, vous ne pourrez pas dire que vous ne la compreniez pas bien et qu'il y a eu erreur de votre part. N'imitez point certaines religieuses qui se contentent de promettre. Comme elles ne tiennent pas leur parole, elles s'excusent en disant qu'elles n'ont pas bien compris ce qu'elles promettaient. Or, cela peut fort bien se produire, car rien ne semble si facile que d'abandonner sa volonté à celle d'autrui, tout au moins en paroles; mais dès qu'il s'agit de le mettre en pratique, on s'aperçoit que c'est la chose du monde la plus difficile à accomplir, si l'on veut s'y conformer comme il faut. Les supérieurs ne nous commandent pas toujours avec la rigueur nécessaire, parce qu'ils connaissent notre faiblesse. Parfois encore, ils traitent de la même manière les faibles et les forts. Il n'en est pas de même ici. Le Seigneur sait ce que peut chacune de ses créatures; et quand il rencontre une âme forte, il accomplit sa volonté en elle jusqu'au bout.

Je veux vous exposer, ou vous rappeler, ce qu'est sa volonté. Ne craignez pas qu'il veuille vous donner des richesses, des plaisirs, des honneurs, ni tous les autres biens de la terre. Il vous aime trop pour cela et il estime trop vos présents : c'est pourquoi il veut vous récompenser dignement, et vous donne son royaume dès cette vie. Voulez-vous savoir comment il se comporte avec ceux qui le prient du fond du cœur d'accomplir en eux sa volonté ? Demandez-le à son glorieux Fils, qui lui adressa cette même supplique au jardin des Oliviers. Il le prie avec la ferme résolution d'accomplir sa volonté, et il le prie de tout son cœur. Or voyez comment son Père a bien accompli en lui cette volonté, quand il l'a livré à toutes sortes d'épreuves, de douleurs, d'injures et de persécutions, pour le laisser enfin mourir sur une croix.

En voyant, mes filles, ce que le Père a donné à Celui qu'il aimait au-dessus de tout, vous connaissez quelle est sa volonté. Tels sont les dons qu'il nous fait en ce monde. Il les mesure à son amour pour nous. Il en donne plus à ceux qu'il aime plus, et moins à ceux qu'il aime moins. Il se règle aussi d'après le courage qu'il découvre en chacun de nous et l'amour que nous avons pour lui. Il voit qu'on est capable de souffrir beaucoup pour lui quand on l'aime beaucoup, mais de souffrir peu quand on l'aime peu; et je suis persuadée que la force de supporter une grande croix, ou une petite, a pour mesure celle même de l'amour. Voilà pourquoi, mes sœurs, si vous éprouvez réellement cet amour, vous veillerez, en parlant à un si grand Seigneur, à ce que vos paroles ne soient pas de purs compliments. Vous ne négligerez rien pour vous soumettre aux croix que Sa Majesté vous imposera. Si vous ne lui remettez pas votre volonté de cette sorte, vous ressemblerez à quelqu'un qui montre une pierre précieuse, s'apprête à la donner et supplie qu'on la reçoive, mais qui, dès qu'on étend la main pour la prendre, la garde fort bien. Ce ne sont point là des moqueries à faire à Celui qui en a déjà tant supportées pour nous. N'y aurait-il pas d'autre motif que celui-là, il n'est pas juste que nous nous moquions de lui si souvent; car c'est très fréquemment que nous lui adressons cette supplique dans le *Pater*. Donnons-lui donc une bonne fois cette pierre précieuse, que nous lui offrons depuis si longtemps; car s'il ne nous donne pas le premier, c'est évidemment pour que nous lui donnions tout d'abord notre volonté.

C'est beaucoup pour les personnes du monde qu'elles aient une vraie résolution de tenir leur promesse. Pour vous, mes filles, vous ne devez pas vous contenter de promettre, il faut agir; on ne vous demande pas seulement des paroles, mais des œuvres. Et à la vérité, c'est là, semble-t-il, ce que l'on attend de toute âme religieuse. Or, il arrive parfois qu'après avoir promis au Seigneur de lui donner la pierre précieuse, et l'avoir déjà placée dans ses mains, nous la reprenions. Nous montrons au premier abord beaucoup de libéralité, et ensuite nous sommes si avares qu'il eût peut-être mieux valu que nous fussions moins empressées de donner.

Tous les conseils que je vous ai donnés dans ce livre n'ont qu'un but, celui de vous amener à vous livrer complètement au Créateur, à lui remettre votre volonté et à vous détacher des créatures. Vous aurez compris combien cela est important. Aussi, je ne m'y appesantis pas davantage. Je veux seulement vous dire pourquoi notre bon Maître place ici ses paroles : *Que votre volonté.* C'est qu'il sait quel profit nous retirerons d'avoir ainsi servi la gloire de son Père Éternel. Par là, en effet, nous nous disposons à arriver promptement au terme de notre course et à boire l'eau vive de la source dont nous avons parlé. Si nous n'abandonnons pas complètement notre volonté au Seigneur pour qu'il prenne soin lui-même de nos intérêts, dans la mesure où nous les lui aurons abandonnés, il ne nous laissera jamais boire à cette fontaine.

Voilà en quoi consiste la contemplation parfaite, cela même dont vous m'avez priée de vous parler. Et ici, comme je l'ai déjà dit, nous n'apportons aucun concours, ni travail, ni industrie; il n'est besoin de rien d'autre que de ces quelques mots. Car tout ce que nous voudrions faire troublerait notre âme et l'empêcherait de dire : *Que votre volonté soit faite !* Que votre volonté, Seigneur, s'accomplisse en moi ! Que ce soit de toutes les façons et de toutes les manières qu'il vous plaira,

ô mon Seigneur. Si vous voulez que ce soit au milieu des
épreuves, accordez-moi la force de les supporter, et
qu'elles viennent. Si vous voulez que ce soit au milieu
des persécutions, des infirmités, des opprobres, de
l'indigence, me voici devant vous, ô mon Père;
je ne les refuse point. Il ne serait pas juste de les fuir.
Dès lors que votre fils, parlant au nom de tous, vous
a remis ma volonté en même temps que celle des
autres, je ne saurais pour ma part manquer à sa parole.
Mais faites-moi la grâce de me donner votre royaume
afin que je puisse être fidèle à un pareil engagement :
puis disposez de moi à votre gré, comme d'une chose
qui vous appartient.

O mes sœurs, quelle force renferme ce don ! S'il est
présenté avec toute la générosité qui doit l'accompagner, il ne peut manquer d'attirer le Tout-Puissant à
ne faire qu'un avec notre bassesse, à nous transformer
en lui, à unir le Créateur à la créature. Voyez comme
vous serez bien payées; reconnaissez quel bon Maître
vous avez, car il sait comment on doit gagner le cœur
de son Père, et nous enseigne par quels moyens nous
devons le glorifier.

Et plus nos œuvres prouvent au Seigneur que notre
don ne consiste pas uniquement en phrases de bien-
séance, plus il nous rapproche de lui, et élève notre
âme au-dessus des choses de ce monde et d'elle-même
afin de la préparer aux plus grandes faveurs. Il ne
cesse jamais de la récompenser de ce don en cette
vie, tant il l'a en estime. Il la comble de telles grâces
qu'elle ne sait plus que lui demander. Sa Majesté,
en effet, ne se lasse point de donner, et non content
de s'unir l'âme pour en faire une même chose avec lui,
le divin Maître commence à mettre en elle ses délices,
à lui découvrir ses secrets, à se réjouir de ce qu'elle
comprenne les trésors qu'elle a gagnés et de ce qu'elle
entrevoie les biens qui lui sont encore réservés. Peu à
peu il suspend l'activité de ses sens extérieurs, afin
que nul obstacle ne l'arrête : cet état s'appelle ravissement.

Dieu commence à montrer à l'âme tant d'amitié

que non seulement il lui rend sa volonté, mais lui donne en même temps la sienne propre. Dès lors qu'il la traite ainsi, il prend plaisir à voir ces deux volontés commander pour ainsi dire à tour de rôle. Il se rend à tous les désirs de cette âme, comme cette âme accomplit tout ce qu'il commande; mais il le fait d'une manière bien supérieure, parce qu'il est tout-puissant, qu'il peut tout ce qu'il veut et qu'il ne cesse point de vouloir.

Quant à la pauvre âme, elle a beau vouloir, elle ne peut pas réaliser ce qu'elle veut; elle ne peut même rien, sans un don de Dieu. Sa plus grande richesse consiste précisément à lui être d'autant plus redevable qu'elle le sert mieux. Souvent elle se tourmente de se voir sujette à tant d'inconvénients, d'embarras et de chaînes qu'elle trouve dans la prison du corps, parce qu'elle voudrait acquitter au moins une partie de sa dette. Mais elle est bien simple de s'affliger ainsi. Alors même qu'elle ferait tout ce qui dépend d'elle, que peut-elle payer, puisqu'elle ne peut donner, je le répète, si tout d'abord elle n'a reçu ? Elle ne peut que reconnaître son indigence et accomplir parfaitement ce qui dépend d'elle, c'est-à-dire faire le don de sa volonté. Tout le reste embarrasse l'âme que le Seigneur a élevée à cet état, et lui est nuisible au lieu de lui être profitable. L'humilité seule est capable de la servir en quelque chose. L'humilité dont je parle n'est pas celle qu'on acquiert à l'aide de l'entendement, mais celle qui provient de l'évidence même de la vérité et lui fait comprendre en un instant ce qu'elle n'aurait jamais pu imaginer après de longues années de réflexion : la profondeur de son néant, et l'incomparable Majesté de Dieu.

Je veux vous donner un avis. Ne pensez pas arriver à cet état par vos efforts et votre zèle. Vous n'y réussiriez point, et après avoir eu peut-être de la dévotion, vous tomberiez dans la froideur. Dites donc avec simplicité et humilité, car c'est l'humilité qui obtient tout : *Fiat voluntas tua.*

CHAPITRE XXXV

Où l'on montre combien nous avons besoin
que le Seigneur nous donne ce que nous lui demandons
par ces paroles du Pater : Panem noſtrum
quotidianum da nobis hodie.

Le bon Jésus, comme je l'ai dit, savait toute la
difficulté que nous aurions à accomplir ce qu'il a
promis pour nous à son Père. Il connaissait d'ailleurs
notre faiblesse; mais, voyant que nous feignons souvent
de ne pas comprendre quelle eſt la volonté du Seigneur,
il devait dans sa bonté venir au secours de notre
indigence; car ne pas réaliser ce qu'il avait promis,
voilà qui ne nous convenait nullement, puisque
c'eſt de là que nous viennent tous les biens. Mais il
reconnut aussi que c'était là une chose difficile pour
nous.

Allez dire par exemple à celui qui vit au milieu des
délices et des richesses que la volonté de Dieu lui
impose de modérer les excès de sa table, pour donner
au moins du pain à ceux qui meurent de faim; il
trouvera mille prétextes pour ne pas vous écouter et
agir à sa guise. Dites au médisant que la volonté de
Dieu nous ordonne d'aimer notre prochain comme
nous-mêmes; il ne pourra supporter ce langage et
nulle raison ne sera capable de le convaincre. Repré-
sentez à un religieux, ami de sa liberté et de ses aises,
qu'il eſt tenu de donner le bon exemple, qu'il ne doit
pas se contenter de dire du bout des lèvres cette prière :
Que votre volonté soit faite, mais qu'il a promis et juré de
l'accomplir; que la volonté de Dieu eſt qu'il soit fidèle
à ses engagements; que s'il donne le scandale, il
pèche gravement contre ses vœux, alors même qu'il
ne les violerait pas entièrement; qu'il a promis la
pauvreté et doit s'y conformer sans détour, car telle

est la volonté du Seigneur; dites tout cela, et vous verrez qu'il y en a, aujourd'hui encore, que vous ne ramènerez pas à de meilleurs sentiments. Que serait-ce donc si le Seigneur n'avait aplani la plus grande partie de la difficulté par le remède qu'il nous a donné ? Il n'y en aurait qu'un très petit nombre à accomplir cette parole qu'il a adressée à son Père en notre nom, quand il a dit : *Fiat voluntas tua.*

Le bon Jésus, voyant donc combien son secours nous était nécessaire, a cherché un moyen admirable où paraît bien l'excès de son amour pour nous. Voilà pourquoi il a fait en son nom et au nom de tous ses frères cette prière : *Donnez-nous aujourd'hui, Seigneur, notre pain de chaque jour.*

Pour l'amour de Dieu, mes sœurs, comprenons bien ce que demande pour nous notre bon Maître, et ne faisons pas cette prière à l'étourdie, car il y va de la vie de notre âme; et n'attachez pas une grande importance à ce que vous avez donné au Seigneur, puisque vous devez tant recevoir de lui.

Voici la réflexion qui me vient en ce moment, sauf meilleur avis. Le bon Jésus a vu ce qu'il avait promis en notre nom, et combien il était important pour nous de le réaliser. Sachant aussi à quel point c'est là une œuvre difficile, vu notre faiblesse, notre penchant aux choses terrestres, notre peu d'amour enfin et notre peu de courage, il a senti qu'il devait réveiller notre amour en nous mettant le sien sous les yeux, et non pas un jour seulement, mais tous les jours. Voilà pourquoi il dut prendre le parti de demeurer au milieu de nous. Mais ce projet étant d'une gravité et d'une importance si hautes, il a voulu en recevoir l'accomplissement de la main de son Père éternel. Sans doute, il n'est qu'une même chose avec son Père. Il savait que ce qu'il ferait sur la terre, son Père le ratifierait dans le ciel et l'aurait pour agréable; car leur volonté est une. Mais l'humilité du bon Jésus était si profonde, qu'il voulut pour ainsi dire demander la permission à son Père, dont il était, il le savait bien, l'amour et les délices. Il sentait bien que la supplique

qu'il lui adressait était plus importante que les pré-
cédentes, car il voyait déjà à quelle mort il serait
condamné, comme aussi quels opprobres et quels
outrages il devait souffrir.

Mais, ô Seigneur, quel est le Père qui, nous ayant
donné son Fils, et un tel Fils, doué d'une telle perfection,
pourrait consentir à ce qu'il restât encore au milieu de
nous et souffrît chaque jour de nouveaux affronts ?
Aucun, à coup sûr, si ce n'est le vôtre, ô Seigneur.
Vous saviez bien à qui vous adressiez votre demande !
O mon Dieu, quel amour immense dans le Fils ! et
quel amour immense dans le Père !

Toutefois je m'étonne moins du bon Jésus. Comme il
avait déjà dit : " Que votre volonté soit faite ", il
devait l'accomplir, conformément à sa nature divine.
A coup sûr, il n'est point comme nous; car il savait
qu'il accomplissait la volonté de son Père, en nous
aimant comme nous-mêmes; et il cherchait le moyen
de l'accomplir le plus parfaitement possible, quoi
qu'il dût lui en coûter.

Mais vous, ô Père éternel, comment l'avez-vous
permis ? Pourquoi voulez-vous livrer chaque jour
votre Fils à des mains aussi misérables que les nôtres ?
Vous avez voulu le livrer une fois, vous avez consenti
à sa demande, et vous voyez quels indignes traitements on lui a fait subir. Comment votre tendresse
pour lui peut-elle supporter de le voir chaque jour,
oui, chaque jour, exposé à tant d'affronts ? Que
d'outrages, hélas ! ne doit-on pas faire aujourd'hui
au Très Saint Sacrement ! En combien de mains
ennemies son Père ne doit-il pas le voir ! Que d'injures
de la part des malheureux hérétiques !

O Seigneur éternel, comment acceptez-vous la
supplique de votre Fils ? Comment pouvez-vous
l'exaucer ? Ne vous laissez pas influencer par son
amour, car, pour accomplir votre volonté et travailler à
notre salut, il est prêt à se laisser mettre en pièces tous
les jours. C'est à vous, ô mon Seigneur, de veiller aux
intérêts de votre Fils, puisque rien ne rebute son
amour. Pourquoi faut-il que tous les biens qui nous

viennent ne nous soient accordés qu'à ses dépens ?
Pourquoi supporte-t-il tout en silence et, sans jamais
se défendre lui-même, ne sait-il que prendre notre
défense ? N'y aura-t-il donc personne pour prendre
la défense de ce très aimant Agneau ?

Je ne puis m'empêcher d'admirer comment cette
demande est la seule où il répète les mêmes paroles.
Car tout d'abord il prie pour qu'on nous donne ce
pain chaque jour; puis il ajoute : donnez-le nous
aujourd'hui, Seigneur. C'est comme s'il disait à son
Père que, ayant été une fois livré à la mort pour nous,
et étant désormais notre Bien, il ne nous l'enlève pas,
mais le laisse nous servir tous les jours, jusqu'à la
fin du monde. Qu'à cette pensée, mes filles, votre cœur
s'attendrisse et s'embrase d'amour pour votre Époux.
Quel est l'esclave qui prend plaisir à avouer sa condition ? Or le bon Jésus semble s'honorer de l'être.

O Père éternel, quel ne doit pas être le mérite d'une
telle humilité ! Avec quel trésor achèterons-nous votre
Fils ! Pour le vendre, nous le savons, trente deniers ont
suffi; mais pour le racheter, il n'y a pas de trésor qui
vaille. En tant qu'il possède notre nature, il se fait ici
une même chose avec nous, mais, en tant qu'il est
Maître de sa volonté, il représente à son Père que,
puisqu'elle est à lui, il peut nous la donner. Voilà
pourquoi il dit : *Notre pain.* Il ne fait pas de différence
entre lui et nous; c'est nous qui en faisons, en ne nous
donnant pas chaque jour à Sa Majesté.

CHAPITRE XXXVI

Ce chapitre continue le même sujet,
qui est très important pour le moment qui suit
la réception du Très Saint Sacrement.

Il semble que Notre-Seigneur, en demandant ce pain de chaque jour, le demande pour toujours. Mais voici la pensée qui m'est venue. Pourquoi le Seigneur, après avoir employé le terme de *chaque jour*, ajoute-t-il : *Donnez-le-nous aujourd'hui, Seigneur ?*

S'il dit *notre pain de chaque jour*, c'est, à mon avis, parce que non seulement nous le possédons sur la terre, mais parce que nous le posséderons aussi au ciel, si nous savons profiter de sa compagnie. Car s'il demeure au milieu de nous, c'est uniquement pour nous aider, nous encourager et nous soutenir, afin que cette volonté du Père céleste dont nous avons parlé s'accomplisse en nous.

Quand il dit *aujourd'hui*, c'est, ce me semble, pour signifier un jour, c'est-à-dire la durée du monde; car le monde ne dure vraiment qu'un jour, surtout pour ces infortunés qui se damnent et ne le posséderont pas dans l'autre vie; s'ils se laissent vaincre, ce n'est pas la faute du Sauveur, qui ne cesse jamais de les encourager jusqu'à la fin du combat. Ils ne pourront invoquer aucun motif pour se disculper; ils ne pourront pas non plus se plaindre au Père éternel de le leur avoir ravi au temps où ils en avaient le plus besoin. Le Fils, en effet, a dit au Père éternel : Puisqu'il ne s'agit que d'un jour, permettez-moi de le passer dans la servitude. Dieu le Père nous l'a donné et l'a envoyé en ce monde par sa seule volonté. Le Fils à son tour, par sa volonté propre, ne veut pas nous abandonner, mais s'établir au milieu de nous pour la plus grande gloire de ses amis et la confusion de ses ennemis. Il

ne fait cette nouvelle demande que pour *aujourd'hui*;
le Père éternel nous a donné ce pain sacré; et c'est pour
toujours, je le répète, qu'il nous a donné cet aliment
de la Sainte Humanité, qui est une vraie manne pour
nous et que nous pouvons trouver comme nous
voulons; s'il n'y a pas de faute de notre part, nous ne
mourrons pas de faim; notre âme puisera dans le très
saint Sacrement tous les goûts et toutes les consolations
qu'elle pourra souhaiter. Il n'y a pas de privations,
d'épreuves ou de persécutions qui ne soient faciles
à supporter si nous commençons à aimer celles du
Sauveur.

Pour vous, mes filles, unissez-vous au Sauveur pour
demander au Père éternel de vous laisser votre Époux
aujourd'hui, et de n'en être pas privées en ce monde.
C'est assez pour tempérer un bonheur si grand, qu'il
reste si voilé sous les apparences du pain et du vin;
c'est même là un terrible tourment quand on n'aime
que lui en ce monde et que l'on n'a de consolation qu'en
lui. Suppliez-le qu'il ne vous manque pas et vous
dispose à le recevoir dignement.

Quant à l'autre pain, ne vous en préoccupez pas si
vous vous êtes abandonnées complètement à la volonté
de Dieu; je veux dire quand vous êtes en oraison, car
vous traitez alors de choses plus importantes, et il est
d'autres moments pour vous occuper à travailler et à
gagner de quoi manger; mais n'y apportez jamais un
esprit préoccupé. Que le corps travaille; car il est juste
de travailler pour notre entretien; mais que l'âme
soit dans le repos. Laissez le soin du temporel, comme
je l'ai déjà dit longuement, à votre Époux; il ne vous
oubliera jamais.

Vous êtes comme le serviteur auprès de son maître.
Il veille à le contenter en tout. Le maître en retour doit
lui donner à manger tant qu'il l'aura chez lui à son
service, à moins qu'il ne soit tellement pauvre qu'il
n'ait rien ni pour lui-même ni pour son serviteur. Mais
ce n'est pas le cas ici : notre Maître est et sera toujours riche et puissant. Il ne conviendrait donc pas que
nous, ses serviteurs, nous lui demandions de quoi

manger; nous savons bien que notre Maître y veille et y veillera toujours. Il pourrait nous dire avec raison : Occupez-vous de me servir et de me contenter; car si vous vous préoccupez de choses qui ne vous regardent pas, vous ne ferez rien de convenable.

Ainsi donc, mes sœurs, demande qui voudra de ce pain matériel ! Pour nous, demandons au Père éternel que nous méritions de recevoir notre pain céleste avec des dispositions telles que, si nous n'avons pas la joie de le contempler des yeux du corps, tant il se cache, il se dévoile du moins aux yeux de l'âme et se manifeste à elle. C'est là une tout autre nourriture pleine de joie et de délices; elle est le soutien de la vie.

Pensez-vous que cette nourriture sacrée ne soit pas aussi un soutien pour le corps, et un remède même contre les maux physiques ? Pour moi, je sais qu'il en est ainsi. Je connais une personne qui, affligée de graves maladies, endurait bien souvent les plus vives douleurs; mais quand elle recevait la communion, on semblait les lui enlever comme avec la main, et elle se trouvait complètement guérie. Cette faveur lui était très ordinaire; or il s'agissait de souffrances manifestes, qu'à mon avis on ne pouvait pas simuler. Comme les merveilles que ce pain sacré opère dans les âmes qui le reçoivent dignement sont très notoires, je ne parle pas de celles en grand nombre que je pourrais raconter de cette personne. J'étais à même de le savoir, et je sais qu'elle ne ment pas. Mais le Seigneur lui avait donné une foi si vive, que quand elle entendait quelqu'un dire qu'il aurait voulu vivre au temps où le Christ, notre Bien, était en ce monde, elle riait en elle-même. Puisque nous le possédons, se disait-elle, dans le Saint-Sacrement aussi véritablement qu'alors, que désirons-nous de plus ? Je sais que pendant longtemps cette personne, sans être très parfaite, mais tout comme si elle avait réellement vu, avec les yeux du corps, Notre-Seigneur entrer dans l'hôtellerie de son âme au moment de la communion, s'appliquait alors à raviver sa foi et, croyant véritablement que Notre-Seigneur entrait dans sa pauvre demeure, se détachait autant que possible de toutes les choses extérieures pour y pénétrer avec lui. Elle recueillait ses sens afin de leur faire comprendre de quel bien elle jouissait, je veux dire, afin de n'être pas empêchée par eux de le connaître. Elle se considérait à ses pieds; elle y pleurait en compagnie de Madeleine, absolument comme si elle l'avait vu des yeux du corps dans la maison du Pharisien. Alors même qu'elle ne sentait pas de dévotion, la foi lui disait qu'il était vraiment là.

En effet, il faudrait se faire plus stupide qu'on n'est et s'aveugler volontairement pour avoir le moindre doute ici. Ce n'est point là un travail de l'imagination, comme quand nous considérons Notre-Seigneur sur la croix ou dans une autre circonstance de sa passion; nous nous représentons alors la chose en nous-mêmes telle qu'elle s'est passée. Ici, elle a lieu présentement; c'est une vérité certaine, et il ne faut pas aller chercher Notre-Seigneur ailleurs, ni bien loin. Nous le savons, en effet, tant que les accidents du pain ne sont pas consumés par la chaleur naturelle du corps, le bon Jésus est en nous; par conséquent, approchons-nous de lui.

Quand il était en ce monde, le simple contact de ses vêtements guérissait les malades; pourquoi douter, si nous avons la foi, qu'il ne fasse encore des miracles, quand il nous est si intimement uni ? Pourquoi ne nous donnerait-il pas ce que nous lui demandons, puisqu'il est dans notre propre maison ? Sa Majesté n'a pas coutume de mal payer la bonne hospitalité qu'on lui donne. Si vous êtes désolées de ne pas le voir des yeux du corps, considérez que cela ne vous convient pas. C'est une chose de le voir tel qu'il est dans sa gloire, c'en est une autre de le voir tel qu'il était en ce monde. Nous sommes tellement faibles sur la terre que personne ne serait capable de le contempler glorieux. Il n'y aurait même plus de monde; et personne ne voudrait y vivre; car la vue de la Vérité éternelle nous découvrirait que les choses que nous estimons ici-bas ne sont que mensonge et plaisanterie. A la vue d'une Majesté telle que la sienne, comment une pauvre pécheresse comme moi, qui l'ai tant offensé, pourrait-elle s'approcher si près de lui ? Sous les accidents du pain il est d'un accès facile. Quand un roi se déguise, il semble que nous n'avons pas à nous mettre en peine d'avoir tant de retenue et de respect pour traiter avec lui. D'ailleurs, il faut bien qu'il y consente, puisqu'il s'est déguisé. Il en est ainsi de Notre-Seigneur. Sans cela, comment oserions-nous en approcher avec tant de froideur, tant d'indignité, et tant d'imperfection ? Hélas ! que nous sommes loin de savoir ce que nous demandons, et comme il y a pourvu dans sa sagesse ! Car, dès qu'il voit qu'une âme va profiter de sa présence, il se découvre à elle. Elle ne le verra pas des yeux du corps, mais il se manifestera à elle par de grands sentiments intérieurs ou par bien d'autres moyens. Soyez donc avec lui de bon cœur. Ne perdez pas une occasion aussi favorable, pour traiter de vos intérêts, que l'heure qui suit la Communion. Si l'obéissance, mes sœurs, vous commande autre chose, ayez soin de laisser votre âme avec le Seigneur; car si vous vous occupez aussitôt d'objets étrangers, si vous ne faites pas cas de lui, si vous ne songez nullement qu'il est au-dedans de vous, comment se donnera-t-il à connaître à votre âme ? Car c'est le meilleur moment pour que notre Maître nous enseigne, pour que nous l'écoutions, lui baisions les pieds en reconnaissance de cet enseignement et le suppliions de ne pas se séparer de nous.

Si vous deviez faire cette demande en vous mettant à considérer une image du Christ, ce serait, à mon avis, une folie de laisser le Christ en personne pour contempler cette image. Car n'en serait-ce pas une, si, ayant le portrait d'une personne que nous aimons et recevant la visite de cette personne, nous lui tournions le dos pour ne nous entretenir qu'avec son portrait ? Savez-vous quand il est excellent de recourir à une image de Notre-Seigneur et quand c'est une source de joie pour moi ? C'est quand lui-même est absent, ou qu'il veut nous le donner à sentir par les sécheresses au milieu desquelles il nous laisse. C'est alors un grand réconfort de contempler l'image de celui que nous avons tant de raisons d'aimer. Pour moi, de quelque côté que je tourne les yeux, je voudrais la voir. Qu'y a-t-il de meilleur et de plus agréable à la vue que la contemplation de Celui qui nous aime tant et qui renferme en lui tous les biens ? Qu'ils sont donc malheureux, ces hérétiques qui ont perdu par leur faute cette consolation, avec beaucoup d'autres !

Lorsque vous venez de communier, faites en sorte, puisque vous vous trouvez avec Notre-Seigneur en personne, de fermer les yeux du corps, d'ouvrir ceux de l'âme et de regarder en votre cœur. Je vous le dis, je vous le répète et je voudrais vous le redire mille fois, si vous prenez cette habitude de le faire chaque fois que vous communierez, si vous veillez à avoir une telle pureté de conscience qu'on vous permette de vous approcher souvent de la sainte Table, il n'est pas si déguisé qu'il ne se manifeste à vous de bien des manières, dans la mesure où vous désirez le contempler. Vous pourrez même y apporter tant d'amour, qu'il se manifestera complètement à vous. Mais si vous ne faites aucun cas de lui, et qu'aussitôt après l'avoir reçu, vous l'abandonnez pour courir après de vils objets, que peut-il faire ? Doit-il nous entraîner de force à le regarder, parce qu'il veut se faire connaître à nous ? Non, évidemment. On ne le traita pas si bien déjà, lorsqu'il se montrait à tous à découvert et qu'il disait clairement qui il était; et combien est petit le nombre de ceux qui crurent en lui ! Il nous fait donc une très grande miséricorde, quand il nous assure que c'est lui, Majesté Souveraine, qui réside dans le Saint-Sacrement. Mais se montrer à découvert, communiquer ses grandeurs ou répandre ses trésors, voilà une faveur qui est réservée à ceux qui le désirent ardemment; ceux-là sont ses véritables amis. Quiconque ne l'est pas, et ne fait pas ce qui dépend de lui pour le recevoir comme tel, n'ose jamais le supplier de se donner à connaître. A peine a-t-il accompli ce que l'Église prescrit au sujet de la Communion, qu'il quitte sa demeure et le chasse de chez lui. Le voilà plongé dans les affaires, les occupations et les embarras du siècle. On dirait qu'il n'a rien de plus pressé que de chasser aussitôt de sa propre demeure Celui qui en est le Maître.

CHAPITRE XXXVII

Ce chapitre achève le sujet précédent par une invocation au Père éternel.

Je me suis arrêtée longtemps sur ce point, et cependant j'en avais déjà parlé dans l'oraison de recueillement, lorsque j'ai montré combien il est important de nous retirer au-dedans de nous-mêmes pour y être seules avec Dieu. Mais lorsque vous ne recevrez pas la Communion à la messe que vous entendrez, communiez spirituellement; vous en retirerez de grands profits. De même, recueillez-vous ensuite au-dedans de vous; vous imprimerez ainsi en vous un amour profond pour Notre-Seigneur. Dès lors que vous vous préparez à le recevoir, il ne manque jamais de vous faire quelque faveur par une foule de voies mystérieuses. Nous approcher de lui, c'est nous approcher du feu. Bien qu'un feu soit très ardent, si vous vous en tenez éloignées et vous cachez les mains, il ne vous réchauffera pas beaucoup; cependant vous sentirez plus de chaleur que si vous étiez dans un appartement où il n'y a pas de feu. Mais c'est une chose bien différente quand nous nous approchons de l'Eucharistie. Si l'âme est bien disposée, si elle a le désir véritable de chasser le froid qu'elle ressent et reste là un instant, elle se trouvera réchauffée pour plusieurs heures.

Peut-être, mes sœurs, que vous ne vous trouverez pas bien de cette méthode au début. Le démon, sachant quel dommage en résulte pour lui, vous donnera des serrements de cœur et des angoisses; il vous suggèrera la pensée que vous goûteriez plus de dévotion à suivre d'autres pratiques. Mais n'abandonnez pas celle-ci. Le Seigneur mettra ainsi à l'épreuve l'amour que vous lui portez. Souvenez-vous en bien; il y a peu d'âmes qui l'accompagnent et le suivent dans la voie de la Croix; souffrons quelque chose pour lui; il ne manquera pas de nous le payer. Rappelons-nous aussi combien d'âmes il y a qui non seulement ne veulent pas être en sa compagnie mais qui le chassent honteusement de leur demeure. Nous devons donc souffrir un peu pour lui montrer le désir que nous avons de le voir.

Du moment qu'il souffre tout et est prêt à tout souffrir pour trouver une seule âme qui le reçoive et le garde avec amour, que chacune de nous soit cette âme. S'il n'y en avait aucune, évidemment son Père ne lui permettrait pas de rester au milieu de nous. Il aime tellement ses amis, il est si bon Maître pour ses serviteurs, que, voyant le désir de Son Fils bien-aimé, il ne veut pas le détourner d'une œuvre si excellente et où resplendit avec tant d'éclat son amour pour son Père.

Eh bien, ô Père saint qui êtes dans les cieux, puisque vous le voulez et que vous l'acceptez ainsi, puisqu'il est clair que vous ne pouvez refuser une chose qui contribue tant à notre bonheur, il faut que quelqu'un, comme je l'ai dit au début, prenne la défense de votre Fils, car lui-même semble oublier ses propres intérêts. Or pourquoi ne pas la prendre, nous, mes filles ? C'est de la hardiesse de notre part, vu ce que nous sommes. Mais ayons confiance; Notre-Seigneur nous ordonne de demander; obéissons-lui donc, et, au nom du bon Jésus, allons dire à la divine Majesté : Votre divin Fils n'a rien omis pour nous donner à nous, pauvres pécheurs, un bienfait aussi grand que l'Eucharistie. Qu'en retour votre miséricorde ne permette pas qu'il soit si indignement outragé. Puisque votre saint Fils nous a donné un moyen si admirable de l'offrir souvent en sacrifice, qu'une offrande d'un tel prix arrête le cours de tant de maux et d'outrages, dans les endroits où résidait le Saint-Sacrement, et où les luthériens ont renversé les églises, massacré les prêtres en grand nombre et aboli les sacrements.

Qu'est-ce cela, mon Seigneur et mon Dieu ? Mettez fin à ce monde, ou remédiez à tant de maux ! Il n'y a pas de cœur qui puisse le supporter ! Nous-mêmes, malgré notre misère, ne le pouvons pas non plus ! Je vous en supplie, ô Père éternel, ne le souffrez pas plus longtemps. Arrêtez ce feu, Seigneur; si vous le voulez, vous le pouvez. Considérez que votre Fils est encore en ce monde. Par respect pour lui, que tant d'ignominies, d'abominations et de souillures prennent fin ! Sa beauté et sa pureté ne méritent pas qu'il demeure là où se commettent de tels outrages. Seigneur, nous vous le demandons non pour nous, car nous ne le méritons pas, mais pour votre Fils. Quant à vous supplier qu'il ne soit plus au milieu de nous, nous n'osons vous le demander : que deviendrions-nous ? Car si quelque chose est capable d'apaiser votre colère, c'est ce gage de miséricorde que nous possédons. Mais, ô mon Dieu, il doit y avoir un remède à de tels maux : daignez vous-même l'appliquer.

O mon Dieu, que ne puis-je vous importuner avec instances ! Que n'ai-je de nombreux services à vous présenter, à vous qui n'en laissez aucun sans récompense ! Hélas, j'en suis bien loin, Seigneur; et c'est peut-être moi, au contraire, qui ai provoqué votre colère, ce sont peut-être mes péchés qui ont attiré tant de maux. Que puis-je donc faire, ô mon Créateur, si ce n'est vous présenter ce pain sacré ? Vous nous l'avez donné : je vous le donne à mon tour. Je vous en supplie par les mérites de votre Fils, accordez-moi cette faveur qu'il a méritée de tant de manières. Allons, Seigneur, ne tardez plus, faites que le calme revienne sur cette mer démontée, et que la barque de l'Église ne soit plus si ballottée par la tempête. Sauvez-nous, ô mon Seigneur, car nous périssons.

CHAPITRE XXXVIII

Ce chapitre explique ces paroles du Notre Père :
Pardonnez-nous nos offenses.

Notre bon Maître voit donc que cette nourriture
céleste nous rend tout facile, pourvu qu'il n'y ait point
de notre faute, et que nous pouvons très bien accomplir
ces paroles adressées à son Père : *Que votre volonté
s'accomplisse en nous !* Aussi lui dit-il maintenant de
nous pardonner nos offenses, parce que nous pardonnons nous-mêmes celles que nous avons reçues.
Il continue la prière qu'il nous enseigne, et ajoute
ces paroles : *Seigneur, pardonnez-nous nos offenses, comme
nous pardonnons à ceux qui nous ont offensés.* Considérons,
mes sœurs, qu'il ne dit pas : *comme nous pardonnerons.*
Nous devons comprendre, en effet, que celui qui
demande un bienfait aussi grand que le précédent et
qui a déjà remis complètement sa volonté entre les
mains de Dieu, doit avoir déjà pardonné. Voilà pourquoi le Sauveur dit : *comme nous pardonnons.* Ainsi donc
quiconque a dit du fond du cœur cette parole à Dieu :
Que votre volonté soit faite, doit avoir déjà tout pardonné,
ou du moins en avoir pris le ferme propos.
Voyez donc, mes sœurs, comme les saints se réjouis-
saient au milieu des injures et des persécutions; c'est
qu'ils en tiraient quelque chose à offrir au Seigneur,
pour lui adresser cette prière. Que fera une pauvre
âme comme la mienne, qui a eu si peu à pardonner et
qui a tant besoin qu'on lui pardonne ? Voilà une vérité,
mes sœurs, que nous devons bien considérer. Une
faveur aussi grande et aussi importante que le pardon
de Notre-Seigneur, pour des fautes qui auraient
mérité le feu éternel, nous est accordée à la seule
condition que nous accomplissions, en échange, une
action d'aussi peu de prix que de pardonner nous-

mêmes. Pour ma part j'ai tellement peu à pardonner
que vous devez, Seigneur, me pardonner pour rien;
voilà une belle occasion de manifester votre miséricorde.

Soyez béni, ô Père céleste, de ce que vous me sup-
portez malgré ma pauvreté. Votre Fils a demandé au
nom de tous; aussi toute pauvre et dénuée de res-
sources que je suis, mes dettes seront payées.

Mais, ô mon Seigneur, n'y aurait-il pas d'autres
personnes qui me ressemblent et qui n'aient pas bien
compris cette vérité ? S'il y en a quelques-unes, je les
supplie en votre nom d'y penser et de ne faire aucun
cas de certaines petites offenses qu'on appelle injures.
S'arrêter à ces points d'honneur, c'est ressembler aux
enfants qui veulent bâtir des maisonnettes avec de
petites pailles.

O grand Dieu, que ne comprenons-nous, mes sœurs,
ce que c'est que le véritable honneur, et en quoi consiste sa perte ? Je ne parle pas de vous en ce moment;
ce serait un grand malheur si vous n'aviez pas encore
compris cette vérité. Je parle de moi, et de l'époque où
je faisais cas de l'honneur, sans savoir ce que c'était,
mais en me laissant aller au courant de la coutume.
Que de choses m'étaient sensibles alors ! et comme j'en
rougis aujourd'hui ! Et cependant je n'étais pas de
celles qui y regardent de très près. Mais je ne m'atta-
chais pas au point principal; je ne considérais ni ne me
souciais aucunement de l'honneur qui procure quelque
profit, et est utile à l'âme. Oh ! qu'il a dit vrai celui qui
a déclaré qu'honneur et profit ne peuvent aller de pair !
Je ne sais s'il l'a dit à ce sujet; mais cela est vrai au
pied de la lettre; car le profit de l'âme et ce que le
monde appelle l'honneur ne peuvent marcher ensemble.
C'est une chose stupéfiante que de voir le monde aller
toujours au rebours. Béni soit le Seigneur qui nous en
a retirées !

Cependant, mes sœurs, considérez que le démon
ne vous perd pas de vue. Il invente des points d'honneur dans les monastères, il y établit des lois d'après lesquelles on monte ou on descend en dignité, comme

dans le monde. Ainsi les savants doivent monter selon
le degré de leur savoir, bien que je ne sois pas très
au fait de leurs usages. Si l'un d'eux est parvenu à
enseigner la théologie, il ne doit pas s'abaisser à enseigner la philosophie; car le point d'honneur veut que
l'on monte, mais non que l'on descende. Si l'obéissance
le lui commandait, il se croirait offensé, d'autres seraient
de son avis et regarderaient cela comme un affront.
Le démon à son tour suggérerait des motifs pour
prouver que la loi même de Dieu leur donne raison.
Il en est de même parmi nous : celle qui a été Prieure
n'est plus apte à un emploi inférieur; celle qui est
plus ancienne veut qu'on lui donne des marques de
respect; elle n'a garde de l'oublier, et parfois elle s'en
fait même un mérite, parce que ces marques de défé-
rence sont commandées par notre Constitution. Il y
aurait de quoi rire s'il n'y avait plutôt tant de motifs
d'en pleurer. Est-ce que, par hasard, notre Constitution nous commande de ne pas garder l'humilité ? Sans
doute établit-elle une hiérarchie; mais est-ce à moi
de me montrer si exigeante sur les égards qui me sont
dus ? Dois-je avoir autant de zèle sur ce point de nos
lois que sur d'autres, que je garde peut-être imparfai-
tement ? Toute la perfection ne consiste pas à garder
ce seul point de la règle. D'autres y veilleront pour
moi, si je viens à le négliger. Le fait est que, notre
nature nous portant à monter, nous ne consentirons
jamais à nous abaisser d'une seule ligne; et pourtant ce
n'est pas par là que nous arriverons au ciel. O Seigneur,
Seigneur ! N'êtes-vous pas notre modèle et notre
Maître ? Qui en douterait ? Mais en quoi avez-vous mis
votre honneur, vous qui êtes notre honneur à tous ?
Car vous ne l'avez pas perdu en vous humiliant jusqu'à la mort; non, Seigneur, loin de là; vous l'avez
conquis pour tous. Pour l'amour de Dieu, mes sœurs,
prenez garde de suivre le point d'honneur; car dès les
premiers pas, on se détourne du vrai sentier. Plaise à
Dieu qu'aucune âme ne se perde pour vouloir s'attacher à ces maudits points d'honneur, parce qu'elle ne
comprend pas ce qu'est l'honneur véritable ! Nous

viendrions ensuite à penser que nous avons fait beaucoup, si nous pardonnons ces choses légères où il n'y a ni affront, ni injure, ni rien. Et comme si nous avions fait quelque chose, nous demanderions au Seigneur de nous pardonner, parce que nous avons pardonné ! Faites-nous donc voir, mon Dieu, que nous ne nous comprenons pas et que nous nous présentons devant vous les mains vides. Daignez par votre pure miséricorde nous accorder le pardon. Car en vérité, Seigneur, puisque tout ici-bas a une fin, tandis que le châtiment est éternel, je ne vois rien à vous présenter qui soit digne d'obtenir cette faveur insigne du pardon, si ce n'est la miséricorde de votre divin Fils.

Mais qui pourra dire combien cet amour mutuel que nous commande le Seigneur doit lui être agréable ? Le bon Jésus aurait bien pu lui représenter d'autres œuvres et lui dire : Pardonnez-nous, Seigneur, parce que nous faisons beaucoup de pénitences, beaucoup de prières, beaucoup de jeûnes, ou parce que nous avons tout abandonné pour vous et que nous vous aimons beaucoup. Il n'a pas dit non plus : Pardonnez-nous parce que nous sommes prêts à faire le sacrifice de notre vie pour vous, ou autres choses de ce genre : mais seulement parce que nous pardonnons. Peut-être a-t-il dit cette parole parce qu'il nous sait si attachés à ce vil point d'honneur, que rien ne nous coûte tant que de le fouler aux pieds et que rien n'est plus agréable à son Père que de nous voir y renoncer; aussi en fait-il à son Père le sacrifice de notre part.

Considérez, mes sœurs, cette expression de Notre-Seigneur : *comme nous pardonnons*; il s'agit donc, je le répète, d'une chose déjà faite. Examinez avec soin si, après avoir reçu les grâces que Dieu accorde dans cette oraison que j'ai appelée contemplation parfaite, l'âme est fermement résolue à pardonner; et si, à l'occasion, elle pardonne en effet toutes les injures, quelque graves qu'elles soient; car je ne parle pas de ces petits riens auxquels on donne le nom d'injures, et qui ne touchent pas l'âme que Dieu élève à une si haute oraison. Peu lui importe qu'elle soit estimée ou

non. Je m'exprime mal, car elle éprouve beaucoup
plus de peine de l'honneur que du déshonneur, et
plus de chagrin de toutes les joies qu'elle goûte dans
le repos que de ses épreuves. Quand, en effet, Dieu
lui a vraiment donné ici-bas son royaume, elle ne veut
plus d'autre royaume en ce monde. Elle voit que
c'est là le vrai chemin à suivre pour arriver à régner
d'une manière plus haute, car son expérience lui a déjà
montré quel profit elle trouve et quels progrès elle
réalise à souffrir pour Dieu. Il est rare que Dieu accorde
de telles faveurs à d'autres qu'à ceux qui ont volontiers enduré les plus grandes souffrances pour lui; car,
ainsi que je l'ai dit déjà dans un autre endroit de ce
livre, les croix des contemplatifs sont très lourdes, et
le Seigneur ne les donne qu'aux âmes très éprou-
vées.

Or songez, mes sœurs, que ces âmes savent parfaitement quel est le néant des choses d'ici-bas et ne
s'arrêtent pas beaucoup à ce qui passe. Leur premier
mouvement, en effet, peut être de chagrin, lorsqu'on
leur inflige une grave offense ou une rude épreuve,
mais elles ne l'ont pas plus tôt ressenti que la raison
arrive à leur aide et remporte la victoire; leur chagrin
est pour ainsi dire complètement dissipé par cette
joie dont elles sont inondées, en voyant que le Seigneur leur fournit l'occasion de gagner à ses yeux plus
de faveurs et de récompenses éternelles en un seul
jour, qu'elles ne l'auraient pu en dix ans par des
épreuves de leur propre choix. C'est là ce qui se passe
habituellement, autant que je sache; j'en ai parlé à
un grand nombre de contemplatifs, et j'ai la certitude
qu'il en est ainsi. Tandis que d'autres recherchent l'or
et les pierreries, ceux-ci n'estiment et n'ambitionnent
que les épreuves, car ils savent qu'elles leur procureront
la véritable richesse. Ces personnes sont loin d'avoir
la moindre estime d'elles-mêmes; elles sont heureuses
que l'on connaisse leurs péchés, et les dévoilent quand
elles s'aperçoivent que l'on a pour elles de l'estime.
De même elles ne font aucun cas de la noblesse de
leurs ancêtres, vu que cela ne leur servira de rien

pour gagner le royaume éternel. Si elles sont heureuses
d'être d'une race illustre, c'est lorsque cela leur est
nécessaire pour procurer la plus grande gloire de Dieu.
En dehors de là, elles souffrent d'être plus estimées
qu'elles ne le méritent; aussi n'est-ce pas une peine
pour elles, mais au contraire une vraie joie de détrom-
per ceux qui les jugent trop favorablement. Un fait
certain, c'est que les âmes à qui Dieu accorde cette
humilité et cet amour profond de sa gloire, s'oublient
tellement elles-mêmes quand il s'agit de le servir,
qu'elles ne peuvent se persuader que les autres soient
sensibles aux injures, ni même qu'elles les regardent
comme telles.

Les derniers effets dont je parle ne se rencontrent,
il est vrai, que chez les personnes qui sont déjà parvenues à une haute perfection et que le Seigneur approche
de lui en les élevant ordinairement à la contemplation
parfaite. Mais les premiers effets, qui consistent à
vouloir réellement souffrir les injures et les supporter
malgré la peine qu'on en éprouve, peuvent être obte-
nus très rapidement quand on est déjà favorisé de
l'oraison d'union. Lorsqu'une âme ne ressent pas ces
effets, ou qu'elle ne sort pas de l'oraison fermement
résolue à souffrir, elle doit croire que celle-ci ne lui
vient pas de Dieu, mais que c'est plutôt une illusion,
une fausse joie du démon qui la pousse à se croire
plus favorisée que les autres.

Il peut se faire que l'âme qui commence à être
élevée à l'oraison d'union ne possède pas immédiatement cette force; mais si Dieu continue à la favoriser de la sorte, elle ne tardera pas à l'acquérir. Si
elle ne l'a pas pour la pratique des autres vertus, elle
l'aura du moins pour pardonner les injures. Je ne
puis croire qu'une âme qui est unie si intimement
à la Miséricorde infinie, où elle reconnaît son néant et
voit combien Dieu lui a pardonné, ne pardonne pas
immédiatement avec la plus grande facilité et n'éprouve
pas les sentiments les plus charitables pour celui qui
l'a offensée. Elle voit dans les grâces et les faveurs dont
Dieu l'a comblée de tels gages d'amour, qu'elle se

réjouit de trouver l'occasion de lui donner quelque marque de l'amour qu'elle a pour lui.

Je connais, je le répète, beaucoup de personnes que le Seigneur a daigné élever à des états surnaturels, et à cette oraison d'union ou de contemplation dont j'ai parlé ; or, bien que je découvre en elles des fautes et des imperfections sur d'autres points, je n'en vois aucune sur le pardon des injures ; je crois même qu'il ne peut pas y en avoir, quand les faveurs viennent vraiment de Dieu, comme je l'ai dit. Celui qui recevra de plus hautes faveurs encore doit bien considérer si ces effets vont en s'accentuant ; s'il n'en va pas de la sorte, il doit craindre beaucoup et être assuré que ces prétendues faveurs ne viennent pas de Dieu ; car Dieu enrichit toujours l'âme qu'il daigne visiter. Cela est certain ; et même si la faveur et le plaisir de ces hautes oraisons passent vite, l'âme comprend peu à peu le profit qui lui en revient. Comme le bon Jésus sait très bien cela, il dit en termes exprès à son Père : *comme nous pardonnons à ceux qui nous ont offensés.*

CHAPITRE XXXIX

Ce chapitre expose l'excellence du Notre Père *et la manière d'y trouver de multiples consolations.*

Quelle haute perfection dans cette prière évangélique ! comme elle est vraiment digne d'un si bon Maître ! et que d'actions de grâces nous en devons rendre au Seigneur ! Aussi, mes filles, chacune de nous peut-elle s'en servir pour son avantage personnel. Je suis confondue de voir que dans si peu de paroles se trouvent renfermées toute la contemplation et toute la perfection. Nous n'avons pas besoin, semble-t-il, d'étudier d'autre livre que celui-là. En effet, jusqu'ici le Seigneur nous a enseigné tous les degrés d'oraison et de haute contemplation, depuis ceux de la simple oraison mentale, jusqu'à ceux de quiétude et d'union ; si je savais exprimer toute cette doctrine, je pourrais, en m'appuyant sur un fondement si solide, composer un grand traité d'oraison.

Maintenant le Seigneur commence à nous faire comprendre les effets que produisent les faveurs dont je viens de parler, quand elles sont vraiment de lui. Comme vous l'avez vu, je me suis demandé pourquoi Notre-Seigneur ne s'était pas expliqué davantage sur des points si élevés et si obscurs, afin de nous en donner à tous l'intelligence. Il m'a semblé que, cette prière étant générale et devant servir à tous, il fallait que chacun de nous, s'imaginant lui donner une interprétation légitime, pût s'en servir pour exposer ses besoins personnels et y trouver un motif de consolation; voilà pourquoi il l'a formulée d'une manière confuse. Ainsi, les contemplatifs qui ne recherchent plus les biens de la terre, et les âmes qui se sont données sans réserve à Dieu, demandent les faveurs célestes que la miséricorde infinie peut accorder ici-bas. Ceux qui sont retenus encore par les liens du monde et doivent y vivre selon leur état, demandent, en outre, le pain matériel et ce dont ils ont besoin pour se soutenir, eux et leurs familles; or cette demande est à la fois très juste et très sainte. Mais considérez bien que ces deux choses, le don de notre volonté à Dieu et le pardon des injures, sont obligatoires pour tous. Il est vrai, je le répète, qu'il y a des degrés en cela. Les parfaits donneront leur volonté d'une manière parfaite, et ils pardonneront avec la perfection dont nous avons parlé. Nous, mes sœurs, nous ferons ce que nous pourrons. Le Seigneur reçoit tout ce qu'on lui offre; car le Sauveur semble avoir passé en notre nom une sorte de contrat avec son Père éternel, et lui avoir dit : Faites cela, Seigneur, et mes frères feront ceci. Et il est bien certain qu'il ne manquera pas à sa parole. Oh ! Oh ! quel bon payeur ! Comme il sait payer avec largesse !

Dès le jour où il verra que nous récitons cette prière sans arrière-pensée, et que nous sommes ferme-

ment résolues à mettre en pratique ce que nous disons,
il nous enrichira de ses dons. Il aime souverainement
que nous allions à lui avec franchise, simplicité, clarté,
et que nous ne disions pas une chose quand nous en
pensons une autre. Lorsque nous agissons de la sorte,
il donne toujours bien au-delà de ce que nous demandons.

Notre bon Maître sait tout cela. Il voit que les âmes
qui arrivent à formuler cette demande d'une manière
vraiment parfaite devraient conserver le haut rang
où les élèvent les grâces de son Père. Il comprend
que celles qui sont déjà arrivées à la perfection, ou
qui y tendent résolument, n'ont aucune crainte, ni
n'en doivent plus avoir puisqu'elles affirment fouler
le monde aux pieds; elles contentent celui qui en est
le Souverain, et les dons qu'elles en reçoivent leur
donnent la ferme confiance que Sa Majesté est satis-
faite; enivrées de ces délices, elles ne voudraient plus
songer qu'il y a un autre monde, et qu'elles ont encore
des ennemis à redouter. O Sagesse éternelle, ô Maître
dévoué! quelle faveur, mes filles, d'avoir un Maître
si sage, si prudent, et qui sait prévoir les dangers!
Voilà tout le bien que peut souhaiter ici-bas une âme
vraiment spirituelle, parce qu'elle trouve là une sécurité profonde; je serais incapable d'exprimer le prix
d'une telle grâce. Ce Maître, en effet, voit que ces
âmes ont besoin d'être tenues en éveil, et qu'on doit
leur rappeler qu'elles ont des ennemis. Il sait que ce
serait plus dangereux pour elles que pour d'autres
de ne plus être sur leurs gardes, et qu'elles ont d'autant
plus besoin des secours du Père éternel, que, si elles
venaient à tomber, elles tomberaient de plus haut.
Aussi, afin qu'elles ne soient pas, à leur insu, victimes
de l'illusion, il adresse en leur nom à son Père ces
demandes si nécessaires pour nous tous qui vivons
dans cet exil : *Et ne nous laissez pas succomber, Seigneur,
à la tentation : mais délivrez-nous du mal.*

CHAPITRE XL

*Ce chapitre expose le besoin extrême que nous avons
de supplier le Père éternel de daigner nous accorder
ce que nous lui demandons par ces paroles :* Et ne
nous laissez pas succomber à la tentation, mais
délivrez-nous du mal, *et explique quelques
tentations. C'est un chapitre important.*

Ce sont de hautes faveurs, mes sœurs, que nous
devons considérer ici et nous efforcer de comprendre,
puisque nous allons les demander à Dieu. Considérez
d'abord un point absolument certain pour moi. Ceux
qui arrivent à la perfection ne demandent pas à Dieu
d'être délivrés des souffrances, des tentations, des
persécutions ni des combats. C'est là une autre preuve
absolument sûre et des plus évidentes qu'ils sont dirigés
par l'esprit de Dieu, et qu'ils ne sont point dans
l'illusion, quand ils regardent comme venant de sa
main la contemplation et les grâces dont ils sont favorisés. Car, je le répète, ils désirent plutôt les épreuves, ils
les demandent et les aiment. Ils ressemblent aux soldats,
qui sont d'autant plus contents qu'ils ont plus d'occasions de se battre, parce qu'ils espèrent un butin plus
copieux; s'ils n'ont pas ces occasions, ils doivent se
contenter de leur solde, mais ils voient que par là ils
ne peuvent pas s'enrichir beaucoup. Croyez-moi,
mes sœurs, les soldats du Christ, c'est-à-dire ceux
qui sont élevés à la contemplation et qui vivent dans
la prière, ne voient jamais arriver assez tôt l'heure de
combattre. Ils ne redoutent jamais beaucoup leurs
ennemis déclarés; ils les connaissent et les savent
impuissants contre ceux que Dieu arme de sa force;
ils sortent toujours vainqueurs du combat, riches de
butin, et ne prennent jamais la fuite devant eux.
Ceux qu'ils redoutent, et ils ont raison de les redouter

et de demander au Seigneur d'en être délivrés, ce sont
les traîtres, les démons qui se transforment en anges
de lumière, ces ennemis qui se déguisent jusqu'à ce
qu'ils aient causé d'immenses ravages dans l'âme.
Ils ne se font point connaître, mais sucent notre sang
peu à peu et dissolvent les vertus, de telle sorte que
nous tombons dans la tentation sans même nous en
apercevoir. Voilà les ennemis, mes filles, dont nous
devons souvent prier et supplier le Seigneur de nous
délivrer, en récitant le *Notre Père*; demandons-lui
qu'il ne permette pas que nous succombions à la
tentation, ni que nous soyons victimes de l'illusion;
conjurons-le de nous découvrir le poison; en un mot,
que nos ennemis ne nous empêchent pas de voir la
lumière et la vérité. Oh ! comme notre bon Maître a
eu raison de nous enseigner à faire cette demande, et
de l'adresser pour nous à son Père !

Considérez, mes filles, que nos ennemis cachés
peuvent nous nuire de beaucoup de manières; ce
n'est pas seulement en nous faisant croire que les
goûts spirituels et les délices qu'ils peuvent produire
en nous viennent de Dieu; c'est là, à mon avis, l'un
des moindres dommages qu'ils sont capables de causer
aux âmes. Peut-être même les stimuleraient-ils par là à
réaliser plus de progrès au service de Dieu. Car ces
délices de l'oraison les attireraient à s'y consacrer
davantage; comme elles ignorent que c'est là l'œuvre
du démon, et qu'elles se reconnaissent indignes de
telles faveurs, elles ne cessent d'en rendre grâce à Dieu,
se croient plus rigoureusement tenues de le servir et
s'efforcent de lui montrer plus de fidélité, afin que le
Seigneur ajoute de nouvelles faveurs à celles qu'elles
croient avoir déjà reçues de lui.

Appliquez-vous, mes sœurs, à être toujours humbles.
Considérez bien que vous n'êtes pas dignes de si
hautes grâces et ne les recherchez point. C'est par là,
j'en suis persuadée, que le démon voit lui échapper
un grand nombre d'âmes qu'il se flattait de perdre.
Du mal qu'il voulait nous faire, Sa Majesté tire notre
bien. Le Seigneur, en effet, voit que notre intention,

en demeurant près de lui à l'oraison, est de le contenter
et de le servir; or il est fidèle dans ses promesses.
Nous devons néanmoins nous tenir sur nos gardes,
veiller à ce que rien ne fasse une brèche dans notre
humilité, et surtout pas la vaine gloire. Suppliez le
Seigneur de vous préserver de ce danger, et ne craignez
pas, mes filles, que Sa Majesté vous laisse longtemps
recevoir de consolations d'un autre que de lui-même.

Le démon cependant peut nous causer, à notre
insu, de graves préjudices, lorsqu'il nous fait croire
que nous possédons certaines vertus, quand, en fait,
il n'en est rien. C'est là un véritable fléau. Lorsqu'on
reçoit de Dieu des joies et des délices, il semble que
nous ne faisons que recevoir, et nous nous sentons
obligés de servir Dieu avec plus de fidélité. Dans le
cas présent, au contraire, il nous semble que c'est nous
qui donnons à Dieu, qui lui rendons service, et qu'il
doit nous récompenser. Le démon cause ainsi peu à
peu les plus grands préjudices à l'âme. D'un côté, il
affaiblit l'humilité; de l'autre, il nous rend négligents à
acquérir cette vertu que nous croyons posséder déjà.
Quel remède avons-nous, mes sœurs, contre cette
tentation ? Le meilleur semble être celui que notre
Maître nous enseigne. Il nous dit de prier et de supplier le Père éternel de ne pas permettre que nous succombions à la tentation.

Mais je veux vous en donner un autre. S'il vous
semble que le Seigneur vous a déjà donné une vertu,
considérez-la comme un bien reçu qu'il peut vous
reprendre, ainsi que cela arrive souvent, et non sans
un effet spécial de sa providence. Ne l'avez-vous
jamais vu par vous-mêmes, mes sœurs ? Pour moi,
je le sais par mon expérience personnelle. Parfois il
me semble que je suis très détachée des choses de ce
monde, et à l'occasion je montre bien que je le suis.
D'autres fois, au contraire, je suis très attachée sur
des points dont peut-être j'aurais ri le jour précédent,
de telle sorte que je ne me reconnais pour ainsi dire
plus moi-même. Parfois il me semble que j'ai beaucoup
de courage et que je suis prête à ne reculer devant aucun

obstacle, s'il s'agit de servir Dieu; et dans quelques occasions j'ai montré qu'il en était ainsi. Or, le jour suivant, je n'aurais pas eu le courage de tuer une fourmi pour l'amour de Dieu, si j'avais rencontré la moindre difficulté. Parfois encore, il me semble que je serais insensible à toute sorte de médisances et de calomnies, et dans plusieurs occasions j'ai montré que telles étaient bien mes dispositions, et que j'en éprouvais même de la joie. Puis, viennent des jours où la moindre parole m'afflige, et où je voudrais m'en aller de ce monde, parce qu'il me semble que tout devient pour moi une épreuve. Je ne suis pas la seule à éprouver ces changements d'état, car je les ai observés également chez beaucoup de personnes bien meilleures que moi.

Puisqu'il en est ainsi, quelle est celle d'entre nous qui pourrait dire qu'elle a de la vertu ou qu'elle est riche en vertus, puisque, à l'heure où nous en aurions le plus besoin, nous nous en trouvons complètement dépourvues ? Personne, mes sœurs. Croyons toujours, au contraire, que nous sommes pauvres; n'allons pas contracter des dettes sans avoir de quoi les payer . C'est d'une autre source que doit nous venir notre trésor. Nous ne savons pas à quelle époque le Seigneur voudra nous laisser dans la prison de notre misère sans rien nous donner. Que l'on nous tienne pour vertueuses, que l'on nous accorde de l'estime et de la considération (c'est là le bien d'emprunt dont je viens de parler), et nous serons tournés en dérision, nous et nos admirateurs, dès que Dieu nous retirera sa main. A coup sûr, si nous servons Dieu en toute humilité, il nous prêtera secours dans nos besoins; toutefois si cette vertu n'est pas très enracinée en nous, le Seigneur nous délaissera à chaque pas, comme on dit; et ce sera là encore une très grande faveur; car il nous montrera par là qu'il veut que nous travaillions à l'acquisition de cette vertu et que nous comprenions bien que nous ne possédons rien, si ce n'est ce que nous recevons de lui.

Voici encore un autre avis. Le démon nous donne à croire que nous possédons une vertu, par exemple,

celle de la patience, parce que nous prenons la résolution de souffrir beaucoup pour Dieu, que nous lui
en exprimons très souvent le désir et qu'il nous semble
réellement que nous souffririons tout pour sa gloire.
Nous voilà tout heureuses d'avoir de telles dispositions,
et le démon ne néglige rien pour nous persuader que
nous les avons; mais ne faites aucun cas des vertus
de cette sorte; ne croyez pas les connaître encore
autrement que de nom, ni les avoir reçues de Dieu,
tant que vous ne les aurez pas vues à l'épreuve; car
il vous arrivera qu'à la moindre parole que l'on
vous dira et qui vous déplaira, toute votre belle
patience tombera. Lorsque vous aurez beaucoup souffert, alors oui, bénissez Dieu de ce qu'il commence à
vous enseigner cette vertu et prenez courage pour
souffrir encore, car c'est un signe qu'il veut que vous
le payiez, puisqu'il vous en a fait don; et il vous faut
la regarder, ainsi que je l'ai dit, comme un dépôt
qu'il peut vous retirer quand il voudra.

Voici encore une autre tentation. Il nous semble être
très pauvres d'esprit, et nous répétons que nous ne
désirons rien, que nous ne nous soucions de rien. Or,
à peine quelqu'un nous fait-il don d'un objet qui ne
nous est pas même nécessaire, que toute notre pauvreté
d'esprit s'en va. Comme nous avons pris l'habitude
de dire que nous sommes pauvres en esprit, nous avons
fini par nous persuader que nous le sommes.

Il est très important de nous tenir sur nos gardes
pour comprendre que c'est là une tentation, aussi
bien pour les vertus dont je parle que pour une multitude d'autres. En effet, quand le Seigneur nous donne
vraiment une seule de ces vertus solides, elle semble
attirer toutes les autres à sa suite; c'est là un fait
très connu. Je vous en préviens donc encore, mes
filles, alors même que vous croiriez posséder une vertu,
craignez de vous faire illusion; car celui qui est véritablement humble doute toujours de ses propres vertus; il lui semble même que celles qu'il découvre dans
le prochain sont plus solides et plus profondes que
les siennes.

CHAPITRE XLI

Ce chapitre continue le même sujet, donne
des avis sur diverses sortes de tentations
et sur les moyens de s'en délivrer.

Gardons-nous bien aussi, mes filles, de certaines humilités que nous suggère le démon. Il nous jette dans les plus vives inquiétudes en nous représentant la gravité de nos péchés, et il sait troubler ainsi les âmes de beaucoup de manières. Il va jusqu'à les éloigner de la Communion et à les empêcher en particulier de faire oraison, sous prétexte qu'elles en sont indignes. S'approchent-elles de la sainte Communion, elles se demandent si elles se sont bien préparées ou non, et elles perdent ainsi le temps qu'elles auraient dû employer à profiter de la grâce. Dans leur trouble, elles vont parfois jusqu'à s'imaginer qu'à cause de leur indignité, Dieu les abandonne, et les abandonne même à tel point qu'elles en arrivent presque à douter de sa miséricorde. Tout ce qu'elles font leur semble entouré de dangers; toutes leurs bonnes œuvres, si excellentes qu'elles soient, leur paraissent inutiles. Le découragement leur fait tomber les bras, elles se sentent impuissantes à accomplir aucun bien, parce qu'elles s'imaginent que tout ce qui est louable chez les autres est mauvais en elles.

Considérez bien, mes filles, ce que je vais vous dire maintenant. Il peut très bien arriver que ce sentiment si profond de votre misère soit parfois un acte d'humilité, une vertu véritable; mais parfois aussi ce peut être une très grave tentation. Je le sais, parce que je suis passée par là. L'humilité, si grande qu'elle soit, n'inquiète pas, ne trouble pas, n'agite pas l'âme, mais elle est accompagnée de paix, de joie et de repos. Sans doute la vue de sa misère lui montre clairement qu'elle a mérité l'enfer, et la jette dans l'affliction; il lui semble qu'en bonne justice toutes les créatures doivent l'avoir en horreur, et c'est à peine si elle ose demander miséricorde. Mais quand l'humilité est véritable, cette peine répand en l'âme une telle suavité et un tel contentement que l'âme ne voudrait pas en être privée; elle ne trouble ni n'étreint l'âme d'aucune angoisse; elle la dilate, au contraire, et la rend plus apte au service de Dieu. Il n'en est pas ainsi de l'autre peine. Elle trouble tout, elle agite tout; elle bouleverse complètement l'âme; elle est remplie d'amertume. A mon avis, le démon voudrait nous faire croire que nous avons de l'humilité et, s'il le pouvait, nous amener quelquefois à perdre toute confiance en Dieu.

Lorsque vous vous trouverez dans cette épreuve, détournez le plus qu'il vous sera possible la pensée de votre misère, et fixez-la sur la miséricorde de Dieu, sur l'amour qu'il nous porte et les souffrances qu'il a endurées pour nous. Peut-être même, s'il s'agit d'une vraie tentation, n'y réussirez-vous pas, car le démon ne laissera pas votre esprit en paix, et il l'appliquera à des choses qui ne pourront que le fatiguer davantage. Ce sera déjà beaucoup si vous reconnaissez qu'il s'agit d'une tentation.

De même encore le démon nous pousse à des pénitences excessives, pour nous faire croire que nous sommes plus pénitentes que les autres, et que nous faisons quelque chose de méritant. Mais si vous vous y livrez à l'insu de votre Confesseur ou de votre Supérieure, ou si vous ne les abandonnez pas quand on vous l'ordonne, c'est une tentation manifeste. Ayez soin, au contraire, d'obéir coûte que coûte: car c'est en cela que consiste la plus grande perfection.

Voici encore une autre tentation très dangereuse: le démon nous inspire la certitude que rien, à ce qu'il nous semble, ne pourrait nous faire retourner à nos fautes passées ou aux plaisirs du monde: car nous savons bien ce qu'est le monde, nous n'ignorons point que tout passe ici-bas, et ce qui nous plaît par-dessus tout, c'est le service de Dieu. Si cette tentation se présente dans les commencements, elle est très dangereuse. Forte d'une telle assurance, l'âme ne se met plus en garde contre les occasions; elle y tombe, et plaise à Dieu que cette seconde chute ne soit pas pire que la première ! Le démon voit en effet que cette âme peut lui porter tort et être utile à d'autres; aussi n'omet-il rien pour l'empêcher de se relever. Quels que soient donc les délices et les gages d'amour que le Seigneur vous donne, ne vous laissez jamais aller à une sécurité telle que vous ne craigniez plus les rechutes, et tenez-vous en garde contre les occasions dangereuses.

Ne négligez rien pour parler de ces faveurs et de ces délices à quelqu'un qui puisse vous éclairer; ne lui cachez rien. Ayez toujours soin, quelque élevée que soit votre contemplation, de commencer et d'achever votre oraison par la connaissance de vous-mêmes. Si l'oraison vient de Dieu, c'est malgré vous et sans même avoir besoin de cet avis que vous songerez, et très souvent, à votre propre faiblesse; car elle apporte avec elle l'humilité et répand toujours une lumière plus vive qui nous montre le peu que nous sommes. Je ne veux pas insister davantage sur ces avis, que vous trouverez d'ailleurs dans beaucoup de livres. Si j'en ai parlé, c'est parce que je suis passée moi-même par ces tentations et que je me suis vue plusieurs fois dans l'angoisse. D'ailleurs, tout ce que l'on peut dire est incapable de nous donner une sécurité complète.

Puisqu'il en est ainsi, ô Père éternel, que nous reste-t-il à faire, si ce n'est recourir à vous et vous supplier de ne pas laisser nos ennemis nous faire tomber dans la tentation ? Qu'ils nous attaquent ouvertement ! nous pourrons plus facilement, avec votre secours, nous en délivrer. Mais, qui pourra, ô mon Dieu, découvrir leurs trahisons secrètes ? Nous avons toujours besoin de votre secours. Dites-nous vous-même, Seigneur, quelque parole qui porte en nous la lumière et nous rassure. Vous savez bien que ceux qui vont par ce chemin de l'oraison ne sont pas nombreux; or si l'on ne peut y avancer qu'avec tant de craintes, ils le seront beaucoup moins encore.

Mais voici un fait curieux. Le monde semble croire que le démon ne tente point ceux qui ne suivent pas le chemin de l'oraison. Il s'étonne plus de voir une seule de ces âmes qui sont arrivées à une certaine perfection trompées par le démon, que d'en voir également trompées cent mille autres, qui vivent publiquement dans le péché et pour lesquelles aucun doute n'est permis : on voit de mille lieues qu'elles appartiennent à Satan. A la vérité, le monde a raison, car il y en a très peu parmi ceux qui récitent le *Pater* comme nous l'avons dit, qui se laissent tromper par le démon; aussi on s'en étonne comme d'une chose nouvelle et insolite. D'ailleurs, l'homme ici-bas passe facilement par-dessus tout ce qu'il a sans cesse sous les yeux, et s'étonne beaucoup, au contraire, de ce qui n'arrive que rarement ou presque jamais. Les démons eux-mêmes suggèrent cet étonnement, parce qu'ils y trouvent leur intérêt et qu'une seule âme qui arrive à la perfection leur en fait perdre beaucoup d'autres.

CHAPITRE XLII

Ce chapitre explique comment, en nous efforçant
de marcher toujours dans l'amour et la crainte
de Dieu, nous serons en sécurité
contre toutes ces tentations.

Eh bien ! notre bon Maître, daignez nous donner quelque moyen de vivre sans ces craintes perpétuelles au milieu de combats si dangereux. Il en est un à notre portée, mes filles, et c'est un don de Sa Majesté même : l'amour et la crainte. L'amour nous fera presser le pas; la crainte nous fera considérer où nous posons le pied, pour ne pas tomber dans ce chemin où tous ici-bas nous trouvons tant d'obstacles. En agissant ainsi, nous ne nous tromperons certainement pas. Mais vous me direz peut-être : à quel signe reconnaî-

trons-nous que nous possédons ces deux vertus si
grandes, si importantes ? Et vous avez raison. Une
preuve absolument sûre et certaine, nous ne saurions
l'avoir. Si nous l'avions que nous possédons l'amour,
nous l'aurions aussi que nous sommes en état de grâce.
Sachez-le toutefois, mes sœurs, il y a des signes qui ne
sont point cachés; ils semblent être vus même des
aveugles; ils parlent avec tant de force et font tant de
bruit qu'on est forcé de les reconnaître malgré soi.
On les remarque d'autant mieux que ceux qui les
possèdent dans toute leur perfection sont peu nombreux. Et que peut-on imaginer de plus grand que
l'amour et la crainte de Dieu ? Ce sont deux places
fortes, d'où l'âme fait la guerre au monde et aux démons. Ceux qui aiment vraiment Dieu aiment tout ce
qui est bon, veulent tout ce qui est bon, favorisent
tout ce qui est bon, louent tout ce qui est bon, s'unissent
toujours aux bons pour les soutenir et les défendre.
En un mot, ils n'aiment que la vérité et ce qui est digne
d'être aimé. Croyez-vous qu'il soit possible à celui
qui aime vraiment Dieu, d'aimer en même temps
les vanités ? Croyez-vous qu'il puisse aimer les richesses,
les plaisirs de ce monde, les honneurs, les querelles
et les jalousies ? Son unique ambition est de contenter
le Bien-Aimé. Il se meurt du désir d'être aimé de lui
et consume sa vie à rechercher les moyens de lui
plaire davantage. Et comment cet amour de Dieu
pourrait-il se cacher ? Que non ! Quand il est véritable, c'est impossible ! Voyez plutôt un saint Paul, une
sainte Madeleine. Au bout de trois jours, saint Paul
commence à manifester qu'il est malade d'amour;
Madeleine l'a montré dès le premier jour. Et comme
leur amour était évident ! L'amour, sans doute, a des
degrés. Il se manifeste plus ou moins, selon qu'il est
plus ou moins grand. S'il est petit, il se montre peu.
S'il est fort, il se montre beaucoup. Mais qu'il soit
faible ou ardent, dès lors qu'il est véritable, il se fait
connaître.

Quant aux contemplatifs (qui forment notre sujet,
puisqu'ils sont particulièrement exposés aux pièges

et aux ruses du démon), quel amour que le leur !
C'est toujours un amour très ardent, sans quoi ils
ne seraient pas de vrais contemplatifs. Aussi se mani-
feste-t-il avec évidence et de beaucoup de manières.
C'est un feu des plus vifs, qui ne peut que jeter le
plus grand éclat. Dans le cas contraire, l'âme doit
se défier d'elle-même et croire qu'elle a de sérieux
motifs de craindre. Qu'elle cherche à découvrir ce que
c'est; qu'elle prie, qu'elle se tienne dans l'humilité
et conjure le Seigneur de ne pas la laisser succomber à
la tentation. Et, en vérité, si une âme contemplative
n'a pas ce signe d'amour spécial, je crains bien qu'elle
ne soit dans la tentation. Mais, je le répète, si elle
est humble, si elle cherche à connaître la vérité et se
montre soumise à son confesseur, là où le démon se
flattait de lui donner la mort, il lui donnera la vie,
malgré ses flatteries et ses illusions.

Mais si vous ressentez cet amour de Dieu dont je
viens de parler, et cette crainte dont je vais vous entretenir maintenant, réjouissez-vous, et soyez dans la
paix. Le démon voudrait troubler votre âme et l'empêcher de jouir de faveurs si élevées; voilà pourquoi il
vous inspire de vaines terreurs, par lui-même ou par
d'autres. Comme il ne peut vous gagner à sa cause,
il cherche du moins à vous faire perdre quelque chose,
et s'applique à nuire à des âmes qui réaliseraient de
rapides progrès si elles croyaient que Dieu peut leur
accorder des grâces si hautes, et combler de ses dons
des créatures aussi viles que nous; mais parfois, il
semble vraiment que nous ayons oublié ses anciennes
miséricordes.

Croyez-vous que le démon ne gagne pas beaucoup
à nous inspirer toutes ces craintes ? Bien au contraire,
et cela de deux manières : en premier lieu, il effraie les
âmes qui entendent parler de ces craintes et les détourne
de l'oraison, car elles ont peur d'être trompées, elles
aussi. En second lieu, il diminue le nombre de ceux
qui s'approcheraient de Dieu s'ils savaient reconnaître
combien est grande sa bonté, puisqu'elle peut encore,
je le répète, se communiquer d'une façon si intime à

de pauvres pécheurs comme nous. Cette vue exciterait le désir de participer à de si hautes faveurs, et avec raison; pour moi, je connais plusieurs personnes que cette considération a encouragées. Elles se sont adonnées à l'oraison, et en peu de temps elles sont parvenues à la contemplation et ont reçu des grâces élevées. Ainsi donc, mes sœurs, lorsque vous verrez quelqu'une d'entre vous qui sera favorisée de la sorte, remerciez-en beaucoup le Seigneur. Mais ne croyez pas pour cela qu'elle soit en complète sécurité; aidez-la, au contraire, en priant davantage pour elle; car personne ne peut être en sécurité tant qu'il vit ici-bas et qu'il se trouve au milieu des périls de cette mer agitée.

Vous ne pourrez donc manquer de reconnaître cet amour, là où il est. Je ne sais même pas comment il pourrait demeurer caché. Celui que l'on porte aux créatures ne saurait, dit-on, se dissimuler; plus on cherche à le cacher, plus clairement il se révèle; et cependant cet amour est tellement bas qu'il ne mérite même pas le nom d'amour, puisqu'il repose sur le néant. Comment pourrait alors rester caché cet autre amour, si fort, si juste, qui croît sans cesse, qui ne rencontre dans son objet aucun défaut rebutant, mais est fondé sur la certitude intime d'être payé de retour par un autre amour dont il ne peut absolument pas douter, car il s'est manifesté trop clairement, au prix de trop de tourments, de douleurs et de plaies sanglantes, jusqu'à l'immolation de sa propre vie? et tout cela afin que nous ne puissions plus, en aucune façon, douter de lui !

O grand Dieu, quelle différence il doit y avoir entre ces deux amours, pour l'âme qui les a éprouvés l'un et l'autre ! Daigne Sa Majesté nous donner l'amour divin, avant de nous retirer de cette vie ! car ce sera pour nous un immense réconfort, à l'heure de la mort, de considérer que nous allons être jugées par Celui que nous aurons aimé par-dessus tout. Assurées que nos dettes sont payées, nous nous présenterons pleines de confiance à son tribunal. Nous ne nous rendrons pas, en effet, dans une terre étrangère, mais dans notre propre patrie, puisqu'elle est le séjour de Celui que nous aimons tant et qui nous porte tant d'amour.

Considérez bien ici, mes filles, quels avantages cet amour apporte avec lui; mais voyez aussi quelle perte il y a à en être privé, car l'âme est livrée alors aux mains du tentateur, à ces mains si cruelles qui ont une telle horreur du bien et une telle prédilection pour le mal. Quel sort affreux que celui de cette pauvre âme qui, après avoir passé par des douleurs et des angoisses aussi terribles que celles de la mort, tombera aussitôt dans de telles mains ! Quel étrange repos que celui où elle entrera ! Voyez comment elle tombera toute déchirée en enfer. Quelle multitude de serpents de toute espèce ! Quel lieu effroyable ! Quel endroit terrible, quand une seule nuit passée dans une mauvaise hôtellerie est déjà si pénible aux personnes qui vivent dans le luxe — et ce sont celles-là surtout qui doivent peupler l'enfer ! Que sera-ce de cette hôtellerie éternelle et sans fin ! Dites-moi ce que pourra y éprouver cette âme infortunée !

O mes filles, ne recherchons point les joies de la terre. Nous sommes bien ici. Ce n'est qu'une nuit à passer dans une mauvaise hôtellerie. Louons Dieu, et efforçons-nous de faire pénitence en cette vie. Oh ! combien sera douce la mort de celui qui aura fait pénitence de tous ses péchés et sera préservé du purgatoire ! Il peut même ici-bas commencer à jouir de la gloire, et ne trouvera alors en lui-même aucun motif de crainte, mais vivra dans une paix parfaite. Peut-être, mes sœurs, n'arriverons-nous pas jusque-là ; mais alors, puisque nous aurons à subir des peines au sortir de cette vie, supplions Dieu de nous mettre dans le séjour où l'espoir de les voir finir nous aidera à les endurer de bon cœur, et où nous ne perdrons ni son amitié ni sa grâce ; supplions-le enfin de nous donner en cette vie la grâce ne pas tomber à notre insu dans la tentation.

CHAPITRE XLIII

*Ce chapitre traite de la crainte de Dieu et
des moyens que nous devons employer pour nous
préserver des péchés véniels.*

Comme j'ai été longue ! Et cependant je ne l'ai pas
été autant que je l'aurais voulu, tant il est doux de
parler d'un tel amour ! Que sera-ce donc de le posséder ! Daigne le Seigneur me l'accorder par son infinie
miséricorde !

Venons-en maintenant à la crainte de Dieu.

C'est une vertu qui, elle aussi, est très visible pour
celui qui la possède et pour ceux qui l'entourent. Mais
remarquez-le, elle n'atteint pas toujours une haute
perfection dans les débuts, excepté chez certaines
âmes que le Seigneur, je l'ai dit déjà, comble de faveurs
et qu'il enrichit de vertus en peu de temps. Aussi, celle
dont je parle ne se remarque pas chez tous dans les
commencements. Mais elle se fortifie peu à peu, et
elle augmente en valeur chaque jour; d'ailleurs, elle ne
tarde pas à se révéler. On remarque, en effet, que
l'âme qui possède la crainte de Dieu s'éloigne aussitôt
du péché, des occasions et des mauvaises compagnies;
elle le manifeste encore de plusieurs autres manières.

Mais lorsque l'âme est arrivée à la contemplation
(et c'est d'elle surtout que traite ce livre), la crainte de
Dieu qui l'anime est très apparente. Elle est comme
l'amour qui, lui non plus, ne peut plus rester caché au
profond de son cœur. Vous aurez beau observer ces
personnes, vous ne les verrez jamais manquer de vigilance. Le Seigneur les soutient tellement de sa main
que pour tout l'or du monde elles ne commettraient
pas volontairement un péché véniel. Quant aux péchés
mortels, elles les redoutent comme le feu. Mon désir,
mes sœurs, est que nous craignions souverainement

les illusions qu'on peut se faire sur ce point. Suppliez sans cesse le Seigneur de ne pas permettre que la tentation soit jamais si violente que vous l'offensiez lui-même, et de daigner la proportionner à la force qu'il vous donne pour la vaincre. Voilà le point important, et telle est la crainte que je désire que vous ne perdiez jamais, car elle sera notre sauvegarde.

Oh ! quel bien précieux que de n'avoir point offensé Dieu ! Par là, nous tenons enchaînés les valets et les esclaves de l'enfer; car enfin il faut, bon gré mal gré, que toutes les créatures lui obéissent. Mais la différence qu'il y a entre eux et nous, c'est qu'ils le servent de force et que nous le faisons de bon cœur... Ainsi donc, que le Seigneur soit content de nous, et nous les tiendrons à distance; ils ne pourront nous nuire en rien, malgré toutes leurs tentations et toute la perfidie de leurs stratagèmes.

Veillez donc à tenir votre conscience pure : c'est là un point de la plus haute importance. Travaillez-y jusqu'à ce que vous soyez tellement résolues à ne plus offenser Dieu, que vous soyez prêtes à perdre mille vies plutôt que de commettre un péché mortel; et veillez avec le plus grand soin à ne jamais tomber dans le péché véniel, je parle du péché véniel de propos délibéré. Car pour les autres, qui donc ne les commet en grand nombre ? Il y a des fautes que l'on commet délibérément, et en toute connaissance de cause; mais il en est d'autres où tout se passe si rapidement que commettre le péché véniel et le remarquer, c'est tout un; et dans ce cas nous n'avons pas le temps de discerner ce que nous faisons. Quant aux péchés véniels, si petits qu'ils soient, qui se commettent avec pleine réflexion, Dieu nous en préserve. Songeons donc surtout que ce n'est pas peu de chose que d'offenser une si haute Majesté, quand nous savons que ses regards sont fixés sur nous. C'est là, à mon avis, un péché qui n'est que trop prémédité. Nous semblons dire : Seigneur, cela vous déplaît, mais je le ferai quand même; je sais très bien que vous me voyez et que vous ne voulez pas de cette action; tout cela, je

le sais parfaitement, mais j'aime mieux suivre mon
caprice et mon propre penchant que votre volonté.
Et un péché de cette sorte serait peu de chose ! Je
n'en crois rien ! Si légère que puisse être la faute
en soi, elle est grande, et très grande, à cause de la
réflexion qui l'accompagne.

Si vous voulez, mes sœurs, acquérir cette crainte de
Dieu, considérez, je vous en prie, combien il est important de comprendre ce que c'est que l'offense de
Dieu. Efforcez-vous d'y penser très souvent pour
enraciner profondément cette vertu dans vos âmes :
il y va de votre vie, et de beaucoup plus encore. Tant
que vous ne l'aurez pas, vous devez exercer une grande,
oui, une grande vigilance sur vous-mêmes, vous éloigner de toutes les occasions et compagnies qui ne
vous aideraient pas à vous rapprocher davantage de
Dieu. Appliquez-vous sérieusement à vaincre votre
volonté dans toutes vos actions. Veillez bien à ne rien
dire qui ne soit de nature à édifier le prochain; fuyez
toute conversation qui ne soit pas de Dieu.

Il y a beaucoup à faire pour imprimer profondément
en nous cette crainte de Dieu. Mais nous la posséderons
plus tôt si nous brûlons d'un amour véritable, et si,
comme je l'ai déjà dit, nous nous sentons fermement
résolues à ne commettre pour rien au monde la
moindre offense contre Dieu. Sans doute il pourra nous
arriver encore de tomber quelquefois, car, en définitive, nous sommes faibles et nous ne pouvons aucunement nous fier à nous-mêmes; au contraire, plus nos
résolutions seront fermes, moins nous devons avoir
confiance en nous; car c'est en Dieu seul que doit être
notre confiance. Mais lorsque vous reconnaîtrez en
vous une véritable crainte de Dieu, il ne sera plus
nécessaire d'avoir tant de timidité et de contrainte.
Le Seigneur vous secourra, et la bonne habitude que
vous aurez contractée vous aidera à ne pas l'offenser.
Agissez plutôt avec une sainte liberté dans les rapports légitimes que vous aurez avec le prochain,
alors même que vous auriez à traiter avec des personnes mondaines. Car si, avant que vous n'eussiez

cette véritable crainte de Dieu, ces personnes pouvaient être un poison pour votre âme, et un moyen de lui donner la mort, elles vous exciteront alors à l'aimer et à le louer davantage, parce qu'il vous a délivrées d'un danger que vous découvrez maintenant claire-ment. Auparavant, vous auriez pu favoriser leurs fai-blesses, et maintenant vous les aiderez à s'en délivrer, par le seul fait qu'elles sont en votre présence. Il en sera ainsi, alors même qu'elles n'auraient nulle inten-tion de vous honorer.

Bien souvent je bénis Dieu quand je considère d'où peut venir un tel pouvoir. Très souvent, en effet, un vrai serviteur de Dieu peut, sans proférer une parole, et par sa seule présence, empêcher des discours contre Sa Majesté. C'est ce qui se passe en ce monde : on respecte toujours notre ami en notre présence et, bien qu'il soit absent, on ne dira rien contre lui, parce que l'on sait qu'il est notre ami. De même, on respecte celui qui est en état de grâce. La grâce elle-même doit faire qu'on respecte celui qui la possède, même s'il est de très basse condition; on évite de l'affliger quand on voit clairement combien il est sensible à l'offense de Dieu. J'ignore quelle en est la véritable cause; mais je sais qu'il en est généralement ainsi.

Ainsi donc, évitez la contrainte : quand une âme commence à s'y plier, elle devient malhabile à toute sorte de bonnes actions. Elle tombe même parfois dans des scrupules excessifs, et vous voyez qu'elle est alors inutile à elle-même et aux autres. Sans aller jusque-là, elle pourra travailler à sa sanctification personnelle, mais elle n'amènera pas beaucoup d'âmes à Dieu. Telle est notre nature, que la vue de tant de gêne, de tant de contrainte, l'effraye et l'angoisse : elle évite alors de suivre la voie où vous marchez, alors même qu'elle paraît évidemment plus vertueuse.

Il résulte de là un autre danger : celui de juger défa-forablement les autres, qui suivent un autre chemin que vous, et cependant sont plus saints. Ils agissent librement et sans toutes ces contraintes pour se rendre utiles au prochain, et voilà qu'aussitôt nous les traitons d'imparfaits. Les voyons-nous se livrer à une sainte joie, nous regardons cela comme une dissipation, nous surtout, pauvres femmes, qui, faute de science, ignorons comment on peut traiter avec le prochain sans pécher. C'est là une chose très dangereuse : on est dans une tentation continuelle et extrêmement pénible; on fait tort au prochain. En un mot, il est très mauvais pour nous de croire que tous ceux qui ne se plient pas à des contraintes aussi rigoureuses que nous sont, pour cela, moins parfaits.

Voici encore un autre inconvénient : c'est que dans certaines circonstances où vous auriez à parler, et même où il le faudrait, vous n'oserez le faire, par crainte de vous faire remarquer; et vous direz peut-être du bien de ce que vous devriez repousser avec horreur.

Ainsi donc, mes sœurs, appliquez-vous, autant que vous le pourrez sans offenser Dieu, à être affables, à vous conduire, vis-à-vis de toutes les personnes avec lesquelles vous aurez à traiter, de telle sorte qu'elles aiment votre conversation, désirent imiter votre manière de vivre et d'agir, ne s'effraient pas enfin et ne s'effarouchent pas de la vertu. Cet avis est très impor-tant pour les religieuses. Plus elles sont saintes, plus elles doivent montrer un abord agréable à leurs sœurs. Aussi, malgré toute la peine que vous pourrez éprouver, lorsque leurs entretiens ne seront pas conformes à vos goûts, ne paraissez jamais vous en étonner, si vous voulez leur être utiles et en être aimées. Ayez grand soin d'être aimables et agréables; veillez à contenter toutes les personnes qui traiteront avec vous, et spécialement vos sœurs,

Ainsi donc, mes filles, sachez bien comprendre qu'en réalité Dieu ne s'arrête pas, comme vous le croyez, à tant de minuties. Ne laissez pas votre âme et votre esprit tomber dans les scrupules; vous pourriez perdre beaucoup. Ayez, je le répète, une intention droite et une volonté ferme de ne pas offenser Dieu. Ne laissez pas votre âme se recroqueviller dans son coin : car au lieu de vous procurer la sainteté, elle vous occa-

sionnerait une foule d'imperfections où le démon
vous ferait tomber par ailleurs, et, comme je l'ai dit,
vous ne seriez pas aussi utiles que vous auriez pu l'être
à vous et aux autres.

Vous voyez maintenant comment, à l'aide de ces
deux vertus, l'amour et la crainte de Dieu, nous pouvons suivre tranquillement et en paix ce chemin de
la perfection. La crainte, il est vrai, doit toujours
aller la première; nous ne devons jamais cesser d'être
sur nos gardes, car nous ne connaîtrons jamais sur
cette terre une sécurité complète; elle serait même
un grand danger pour nous. C'est ce que notre Maître
a bien vu, quand, à la fin de sa prière, il a adressé à
son Père ces paroles dont il savait toute la nécessité
pour nous : *Mais délivrez-nous du mal.*

CHAPITRE XLIV

Où l'on traite de ces dernières paroles du Pater :
Mais délivrez-nous du mal. Ainsi soit-il.

Le bon Jésus avait bien raison, ce me semble, de
faire cette demande pour lui-même. Nous voyons, en
effet, combien il devait être fatigué de la vie, puisque
à la Cène il dit à ses Apôtres : *J'ai désiré ardemment
célébrer cette Cène avec vous.* Or, comme c'était la dernière, nous pouvons supposer jusqu'à quel point la vie
lui était pénible. Et aujourd'hui, après cent années
d'existence, non seulement on n'est pas fatigué de
vivre, mais on a toujours le désir de rester plus longtemps sur la terre. Nous sommes loin, il est vrai,
d'éprouver les souffrances, les douleurs et la pauvreté
par lesquelles est passée Sa Majesté. Que fut en effet sa
vie entière, sinon une mort continuelle, puisque ce
bon Maître avait toujours devant les yeux cette mort
affreuse qu'on devait lui infliger ? Encore n'était-ce là

que la moindre de ses douleurs. Mais que ne dut-il
pas éprouver, en voyant tant d'offenses faites à son
Père et tant d'âmes se damner ! Si un tel spectacle
cause d'indicibles tourments à une âme qui possède la
charité, que ne dut pas endurer Notre-Seigneur, qui
était la charité sans bornes et sans mesure ! Quel juste
motif avait-il donc de supplier le Père céleste de le
délivrer de tant de maux et de tant de souffrances,
comme aussi de lui donner enfin, et pour toujours, le
repos dans ce royaume dont il était le véritable héritier !

Amen ! Cet *Amen* qui termine toutes les demandes
du *Pater* signifie, à mon avis, que Notre-Seigneur
demande que nous soyons comme lui délivrés à jamais
de tout mal.

Je supplie donc, moi aussi, le Seigneur de me délivrer
de tout mal à jamais, car, loin de m'acquitter de ce que
je lui dois, je m'endette peut-être tous les jours davantage. Ce qui fait mon tourment, ô Seigneur, c'est que
je ne puis savoir d'une manière certaine si je vous
aime, ni si mes désirs vous sont agréables. O mon
Seigneur et mon Dieu, délivrez-moi enfin de tout mal et
daignez me conduire au séjour de tous les biens ! Et
que peuvent-ils attendre ici-bas, ceux à qui vous avez
donné quelque connaissance de ce qu'est le monde, et
à qui une foi vive montre les récompenses que leur
réserve le Père éternel ?

Quand les contemplatifs font cette demande avec
un désir ardent et une volonté ferme, ils ont grandement lieu de croire que les grâces dont ils sont comblés
dans l'oraison viennent de Dieu. Ceux qui ont le bonheur de le croire, doivent avoir une haute estime de ce
désir de quitter la terre. Pour moi, si je fais la même
demande, ce n'est pas pour le même motif et je ne voudrais pas qu'on le croie ainsi. Mais j'ai si mal vécu
jusqu'à ce jour que je crains de vivre plus longtemps,
et que je suis lasse de tant d'épreuves. Rien d'étonnant
que ceux qui ont déjà goûté aux délices de Dieu,
désirent habiter ce séjour où ils en seront inondés,
aspirent à quitter cette terre où ils trouvent tant
d'obstacles pour jouir d'un si grand bien et habiter la

patrie où le Soleil de justice ne se couchera jamais plus pour eux. Après une telle faveur, comme ils doivent trouver obscur tout ce qu'ils voient ici-bas ! Pour moi, je me demande comment ils peuvent vivre encore. Non, il ne doit pas y avoir de contentement sur la terre, pour ceux qui ont commencé à goûter le bonheur divin et qui ont déjà reçu le royaume céleste. S'ils y sont encore, ce n'est point par leur volonté propre, mais par celle de leur Roi.

Oh ! combien cette vie du ciel doit être différente de celle de la terre, puisque l'on n'y désire plus la mort ! Comme la volonté s'y porte autrement à l'accomplissement de la volonté de Dieu ! Cette volonté souveraine veut que nous aimions la vérité, et nous aimons le mensonge ; elle veut que nous recherchions ce qui est éternel, et nous nous portons à ce qui est passager ; elle veut que nous aspirions aux choses nobles et élevées, et nous ambitionnons les choses basses et terrestres ; elle voudrait que nous n'ayons d'affection que pour ce qui est assuré, et nous aimons ce qui est incertain. Quelle folie, mes filles ! La seule chose valable, c'est de prier Dieu qu'il nous délivre à jamais de ces dangers et nous affranchisse de tout mal. Bien que nous ne désirions pas encore très parfaitement une telle faveur, ne manquons pas de la demander avec instances : que nous en coûte-t-il de demander beaucoup, puisque nous nous adressons au Tout-Puissant ? Mais pour mieux réussir, laissons-le nous accorder ses dons comme il le voudra, puisque nous lui avons déjà, nous, fait le don entier de notre volonté. Que son nom soit à jamais sanctifié au ciel et sur la terre, et que sa volonté s'accomplisse toujours en moi ! Ainsi soit-il !

Considérez maintenant, mes sœurs, comme le Seigneur m'a assistée dans mon travail. Il nous a montré, à vous et à moi, ce chemin de la perfection dont j'ai commencé à parler, et il m'a fait comprendre les grandes choses que nous lui demandons, lorsque nous récitons cette prière de l'Évangile. Qu'il en soit béni dans les siècles des siècles ! Car, je vous l'assure, jamais je n'avais songé qu'elle contient tant de profonds secrets.

Vous avez vu, en effet, qu'elle renferme tout le chemin de la vie spirituelle, depuis son point de départ jusqu'à ce que l'âme soit perdue en Dieu, et que Dieu lui donne à boire à longs traits à cette source d'eau vive qui, comme je l'ai dit, se trouve au bout du Chemin de la perfection.

Le Seigneur a voulu, me semble-t-il, mes sœurs, nous faire comprendre quelle consolation se trouve renfermée dans cette prière. Elle est extrêmement profitable pour les personnes qui ne savent pas lire : si elles la comprenaient bien, elles y apprendraient beaucoup de choses concernant la foi, et y trouveraient une grande consolation.

Eh bien, mes sœurs, apprenons enfin à être humbles, en voyant avec quelle humilité notre bon Maître nous enseigne. Suppliez-le de me pardonner, si j'ai eu la hardiesse de vous entretenir de sujets si élevés. Ce souverain Maître sait bien que j'en aurais été incapable, s'il ne m'avait enseigné ce que je devais dire. Remerciez-le vous-mêmes, mes sœurs, car s'il m'a assistée, ce doit être en considération de l'humilité avec laquelle vous m'avez demandé cet écrit et avez voulu être enseignées par une créature aussi misérable que moi.

Si le Père Présenté Dominique Bañez, mon confesseur, à qui je le remettrai avant que vous ne le voyiez, le croit utile à vos âmes et vous le donne à lire, je me réjouirai de la consolation que vous y trouverez. Mais s'il juge qu'il ne doit être vu de personne, veuillez du moins agréer la bonne volonté que j'ai mise à le composer; car j'ai obéi effectivement à ce que vous m'aviez commandé. Je me considère comme très bien payée de la peine que j'ai eue pour l'écrire; je dis bien : pour l'écrire, car certainement je n'en ai eu aucune pour réfléchir aux choses que j'ai dites. Que le Seigneur soit béni et loué ! C'est de lui que découle tout le bien qui se trouve dans nos paroles, dans nos pensées et dans nos œuvres. Ainsi soit-il !

Index

Table des chapitres

CHAPITRE I

Du motif pour lequel j'ai établi ce monastère dans une si étroite clôture.

CHAPITRE II

Ce chapitre montre comment on ne doit pas se préoccuper des nécessités temporelles et quels sont les avantages de la pauvreté.

CHAPITRE III

Ce chapitre continue le sujet commencé au chapitre premier, et exhorte les Sœurs à prier toujours Dieu de secourir ceux qui défendent son Église; il se termine par une exclamation.

CHAPITRE IV

Ce chapitre exhorte à garder la règle et parle de trois choses importantes pour la vie spirituelle.

CHAPITRE V

Ce chapitre expose la première de ces trois choses, à savoir : l'amour du prochain et le danger des amitiés particulières.

IMP. BUSSIÈRE, SAINT-AMAND (11-81).
D.L. 4ᵉ TRIM. 1961. Nᵒ 1250-5 (2236).

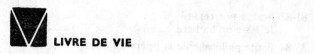

LIVRE DE VIE

DERNIERS TITRES PARUS DANS LA COLLECTION

27, RUE JACOB. PARIS, VIe